ÉLÉVATION

Né en 1947 à Portland (Maine), Stephen King a connu son premier succès en 1974 avec *Carrie*. En une quarantaine d'années, on lui doit plus de cinquante romans et autant de nouvelles, certains sous le pseudonyme de Richard Bachman. Il a reçu de nombreuses distinctions littéraires, dont le prestigieux Grand Master Award des Mystery Writers of America pour l'ensemble de sa carrière en 2007. Son œuvre a été largement adaptée au cinéma et à la télévision.

STEPHEN KING

Élévation

TRADUIT DE L'ANGLAIS (ÉTATS-UNIS) PAR MICHEL PAGEL

LE LIVRE DE POCHE

Titre original :
ELEVATION
Publié par Scribner, une marque de Simon & Schuster, New York, 2018.

ISBN : 978-2-253-82007-9 – 1re publication LGF

À Richard Matheson

1

Perte de poids

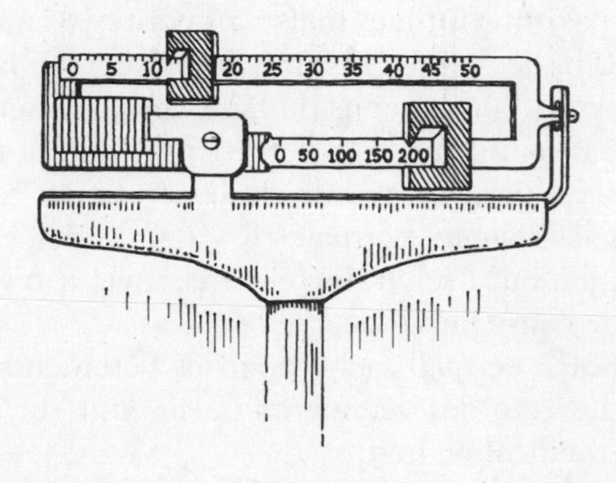

Quand Scott Carey frappa à sa porte, Bob Ellis (que tout Highland Acres appelait encore docteur Bob, bien qu'il fût à la retraite depuis cinq ans) le fit entrer dans l'appartement. « Ah, te voilà, Scott. Dix heures tapantes. Que puis-je pour toi ? »

Le visiteur était imposant : un mètre quatre-vingt-dix sans chaussures, et un peu de ventre. « Je ne sais pas trop. Sans doute rien, seulement…

J'ai un problème. J'espère qu'il n'est pas gros, mais il pourrait l'être.

— Et tu ne veux pas en parler à ton médecin traitant ? » Ellis avait soixante-quatorze ans, le cheveu gris de plus en plus rare, ainsi qu'une légère claudication qui le ralentissait à peine sur le court de tennis – là où les deux hommes s'étaient connus et étaient devenus amis. Peut-être pas amis intimes mais sans conteste amis.

« Oh, je l'ai vu, assura Scott, et j'ai fait un check-up. Que j'aurais dû faire depuis longtemps. Prise de sang, analyse d'urine, prostate, la totale. Tout va bien. Un peu de cholestérol mais ça reste dans les valeurs normales. C'était le diabète qui m'inquiétait : selon docteur Internet, il n'y avait pas de cause plus probable. »

Jusqu'à ce qu'il sache pour les vêtements, bien sûr. Le truc des vêtements ne figurait sur aucun site, médical ou non.

Ellis le fit entrer dans le salon, dont la grande baie vitrée donnait sur le quatorzième *green* de la résidence sécurisée de Castle Rock où son épouse et lui vivaient désormais. Il s'offrait parfois un parcours mais s'en tenait le plus souvent au tennis. C'était sa femme qui aimait le golf, et Scott les soupçonnait de n'habiter ici que pour cette raison-là – quand ils ne passaient pas l'hiver dans une résidence de Floride pareillement orientée vers le sport.

« Si tu cherches Myra, reprit Ellis, elle est à sa réunion des femmes méthodistes. Je crois. À moins que ce ne soit un de ses comités municipaux. Demain, elle part à Portland pour un congrès de la Société mycologique de Nouvelle-Angleterre. Cette femme saute dans tous les coins comme une poule sur une plaque chauffante. Enlève ton manteau, assieds-toi et dis-moi ce qui te préoccupe. »

Bien qu'il ne fît pas très froid en ce début octobre, Scott portait une parka North Face. Quand il l'enleva et la posa près de lui sur le canapé, les poches tintèrent.

« Tu veux du café ? Du thé ? Je crois qu'il reste une viennoiserie du petit déjeuner, si…

— Je perds du poids, lâcha Scott. Voilà ce qui m'inquiète. C'est assez marrant, tu sais. J'avais tendance à éviter la balance de la salle de bains parce que, depuis dix ans, je n'étais pas fou des nouvelles qu'elle me donnait. Maintenant, je bondis dessus tous les matins en me levant. »

Ellis hocha la tête. « Je vois. »

Lui n'avait aucune raison d'éviter la balance, songea Scott. C'était ce que sa grand-mère aurait appelé un bout de ficelle farci. S'il ne sortait pas un joker de son jeu, il vivrait sans doute encore vingt ans. Serait peut-être même centenaire.

« Je connais bien le syndrome d'évitement de la balance : je l'ai rencontré pendant toute ma carrière. J'ai aussi vu l'inverse : les pesées compulsives, en général chez les boulimiques ou les anorexiques. Tu n'as pas vraiment l'air de l'un ou de l'autre. » Il se pencha en avant, les mains serrées entre ses cuisses maigres. « Tu te rends bien compte que je suis à la retraite, hein ? Je peux conseiller mais pas prescrire. Et mon conseil sera probablement de retourner voir ton médecin pour ne rien lui cacher. »

Scott sourit. « Je crains qu'il ne veuille me faire hospitaliser sur-le-champ pour des examens. Or, le mois dernier, j'ai décroché un gros contrat : la conception de sites web interconnectés pour une chaîne de grands magasins. Sans entrer dans les détails, c'est une aubaine. J'ai beaucoup de chance d'avoir trouvé ça. C'est une sacrée étape pour moi, et je peux la franchir sans quitter Castle Rock. Vive l'ère de l'ordinateur !

— Mais tu ne peux pas travailler si tu tombes malade, dit Ellis. Tu es intelligent, Scott, tu dois savoir que la perte de poids n'est pas que le symptôme du diabète. C'en est aussi un du cancer. Entre autres choses. Combien as-tu perdu ?

— Treize kilos. » Scott, par la baie vitrée, vit des voiturettes de golf blanches qui auraient fait une excellente photo pour le site Internet de Highland Acres. La résidence en avait sûrement un – tout le monde en avait un, de nos jours, y compris les marchands de pommes et d'épis de maïs au bord de la route –, mais ce n'était pas lui qui l'avait créé. Il s'occupait désormais de tâches plus importantes. « Pour l'instant. »

Bob Ellis sourit, montrant des dents qui étaient encore les siennes. « Ce n'est pas négligeable, d'accord, mais, à mon sens, tu pouvais te permettre de les perdre. Tu bouges très bien sur le court de tennis pour un homme corpulent, et tu passes assez de temps sur les machines de la salle de gym. Cela dit, le surpoids ne fatigue pas seulement le cœur mais tout le bataclan. Comme tu le sais sans aucun doute. Grâce à docteur Internet. » Il leva les yeux au ciel, ce qui fit sourire son visiteur. « Combien pèses-tu à présent ?

— Devine », dit Scott.

Bob éclata de rire. « Tu te crois à la fête foraine ? On n'a plus de poupées en stock.

— Tu as été généraliste pendant... quoi ? Trente-cinq ans ?

— Quarante-deux.

— Alors ne sois pas modeste, tu as pesé des milliers de patients. » Scott se leva. Grand et massif, en jean, chemise de flanelle et bottes Georgia Giants éraflées, il ressemblait plus à un bûcheron ou à un dresseur de chevaux qu'à un concepteur de sites Internet. « Devine mon poids. Ensuite, nous passerons au sort qui m'attend. »

Le docteur Bob promena un œil professionnel le long des cent quatre-vingt-dix centimètres de Scott Carey – plus près de cent quatre-vingt-quinze avec les bottes. Il accorda une attention particulière à la courbe du ventre sous la ceinture et aux longs muscles des cuisses forgés par pressions et flexions sur des machines que lui-même, désormais, évitait. « Déboutonne ta chemise et écarte les pans. »

Scott obtempéra, révélant un tee-shirt gris marqué UNIVERSITÉ DU MAINE – DÉPARTEMENT SPORTIF. Bob découvrit un torse large et musclé, quoique en train d'acquérir les dépôts adipeux que les gamins facétieux appelaient des nichons de mec.

« Je dirais... » Le médecin s'interrompit, désormais intéressé par le défi. « Je dirais cent cinq kilos, peut-être cent dix. Donc tu étais aux alentours de cent vingt avant de commencer à perdre. Je dois dire que tu les portais bien sur le court. Je ne t'aurais pas cru aussi lourd. »

Scott se rappelait sa joie quand il avait enfin trouvé le courage de monter sur la balance au début du mois. Son ravissement, même. Perdre du poids régulièrement depuis le préoccupait, oui, mais pas tant que ça. C'était le truc des vêtements qui avait changé la préoccupation en peur. Il n'avait pas besoin de docteur Internet pour savoir que le truc des vêtements était plus qu'étrange : carrément délirant !

Une voiturette de golf passa dehors, chargée de deux hommes d'âge moyen, l'un en pantalon rose, l'autre en pantalon vert, tous les deux en surpoids. Selon Scott, ils auraient eu intérêt à oublier la voiturette et à effectuer leur parcours à pied.

« Scott ? fit le docteur Bob. Tu es encore là ou je t'ai perdu ?

— Je suis là. La dernière fois qu'on a joué au tennis, je pesais en effet cent dix kilos. Je le sais parce que c'est ce jour-là que je suis finalement remonté sur la balance. J'avais décidé de faire un petit régime : je commençais à être tout essoufflé au troisième set. Mais, ce matin, je pèse quatre-vingt-seize kilos. »

Il se rassit près de sa parka (qui cliqueta à nouveau). Bob le considéra avec attention. « On ne dirait pas que tu fais quatre-vingt-seize kilos, Scott, pardonne-moi, tu as l'air un peu plus lourd que ça.

— Mais en bonne santé ?

— Oui.

— Pas malade ?

— Non. Pas à vue d'œil, en tout cas, mais...

— Tu as une balance ? Je suis sûr que oui. Vérifions. »

Le docteur Bob observa un instant son compagnon en se demandant si le vrai problème ne se situait pas dans la matière grise au-dessus de ses sourcils. La plupart des névrosés à propos de leur poids qu'il avait rencontrés étaient des femmes, mais certains hommes l'étaient aussi. « Très bien, on va faire ça. Suis-moi. »

Il précéda Scott dans un bureau tapissé de livres. Une planche anatomique encadrée ornait un mur, une série de diplômes en décorait un autre. Le visiteur tomba en arrêt devant le presse-papiers posé entre l'ordinateur et l'imprimante.

Bob suivit son regard, éclata de rire, ramassa le crâne et le lui lança.

« C'est du plastique, pas de l'os, alors ne t'en fais pas si tu le lâches. Un cadeau de l'aîné de mes petits-enfants. Il a treize ans, ce que je considère comme l'âge des cadeaux de mauvais goût par excellence. Viens par ici et voyons ce que ça donne. »

Dans un angle se dressait une balance en forme de portique, sur laquelle on pouvait déplacer deux poids, un gros et un petit, pour équilibrer la barre d'acier horizontale. Le médecin la tapota affectueusement. « Quand j'ai fermé mon cabinet en ville, je n'ai gardé que la planche anatomique sur le mur et ça. C'est une Seca, la meilleure balance médicale jamais fabriquée. Un cadeau de ma femme il y a bien des années et, tu peux me croire, on ne l'a jamais accusée d'avoir mauvais goût, elle. Ni d'être radine.

— C'est précis ?

— Disons juste que si j'y pesais un sac de dix kilos de farine et que la balance disait neuf kilos neuf cent quatre-vingt-dix, j'irais chez Hannaford exiger qu'on me rembourse. Tu devrais enlever tes bottes si tu veux qu'on soit proche de la valeur exacte. Et pourquoi as-tu pris ton manteau ?

— Tu vas voir. » Scott n'ôta pas ses bottes. Au contraire, il enfila la parka, sur fond de nouveaux cliquètements dans les poches. Ensuite, non seulement tout habillé mais couvert pour un jour bien plus froid que celui-ci, il monta sur la balance. « Allons-y. »

Tenant compte des bottes et du manteau, Bob régla le contrepoids à cent quinze kilos avant de le ramener en arrière, le faisant d'abord glisser puis le poussant par petites impulsions. L'aiguille demeura immobile à cent dix, puis cent cinq, puis cent, ce qu'il aurait cru impossible : bottes et manteau ou pas, Scott Carey paraissait tout bonnement plus lourd que cela. Le médecin avait pu se tromper d'un ou deux kilos dans son estimation, mais il avait pesé trop d'hommes et de femmes en surpoids pour se fourvoyer davantage.

La barre arriva en équilibre à quatre-vingt-seize kilos.

« Je veux bien être pendu, fit le docteur Bob. Il faut que je fasse recalibrer cette balance.

— Je ne crois pas », dit Scott. Il descendit de la balance et plongea les mains dans les poches de sa parka. De chacune, il tira une poignée de pièces de monnaie. « Ça fait des années que je jette ces trucs-là dans un vieux pot de chambre. Quand Nora m'a quitté, il était presque plein. J'ai bien deux kilos de métal dans chaque poche, peut-être plus. »

Ellis ne répondit pas. Les mots lui manquaient.

« Alors, tu vois pourquoi je n'ai pas voulu aller voir le docteur Adams ? » Scott laissa les pièces retomber dans ses poches avec un cliquètement joyeux.

Son interlocuteur retrouva sa voix. « Attends que je sois sûr de comprendre... Tu obtiens le même poids chez toi ?

— Exactement. Ma balance est un pèse-personne Ozeri, elle n'est peut-être pas aussi précise que celle-ci, mais je l'ai testée et elle est exacte. Maintenant, regarde ça. D'habitude, je mets un peu de musique gaie quand je fais un strip-tease, mais, vu qu'on s'est déshabillés ensemble dans les vestiaires du club, je peux sans doute m'en passer. »

Il ôta sa parka et la pendit au dos d'une chaise. S'appuyant d'une main puis de l'autre sur le bureau du médecin, il se déchaussa. Ensuite tomba la chemise de flanelle. Ayant débouclé sa ceinture, Scott enleva son jean et demeura en caleçon, tee-shirt et chaussettes.

« Je pourrais virer le reste, dit-il, mais je me suis assez allégé pour me faire comprendre. Parce que, tu vois, c'est ça qui me fait peur. Le truc des fringues. C'est pour ça que je voulais parler à un ami qui saurait la fermer plutôt qu'à mon toubib habituel. » Il désigna ses vêtements et ses bottes, par terre, puis la parka aux poches lestées. « Combien dirais-tu que tout ça pèse ?

— Avec les pièces ? Au moins six kilos. Peut-être huit. Tu veux vérifier ?

— Non », répondit Scott.

Il remonta sur la balance. Réajuster les poids fut inutile : la barre s'équilibra à quatre-vingt-seize kilos.

Scott se rhabilla et ils retournèrent au salon. Le docteur Bob leur versa à chacun un petit verre de Woodford Reserve et, bien qu'il ne fût que dix heures du matin, son invité ne refusa pas : le whisky, englouti d'un coup, alluma un feu réconfortant dans son estomac. Ellis, lui, but deux minuscules gorgées, comme pour tester la qualité du breuvage, puis avala le reste cul-sec. « C'est impossible, tu sais », dit-il en posant le verre vide sur une tablette.

Scott hocha la tête. « C'est aussi pour ça que je ne voulais pas m'adresser au docteur Adams.

— Parce que ça passerait dans le système. Dans les dossiers. Et, en effet, il aurait insisté pour que tu subisses des examens afin de déterminer ce qui t'arrive au juste. »

Bien qu'il se retînt de le dire, Scott jugeait le mot « insisté » trop faible. Dans le cabinet de consultation du docteur Adams, celui qui lui était monté en tête était « interné » – moment auquel il avait décidé de rester muet et de s'adresser plutôt à son ami médecin retraité.

« Tu as l'air de peser cent dix kilos, dit Ellis. Est-ce que ça correspond à ce que tu ressens ?

— Pas tout à fait. Je me sentais un peu... hum... *traînasson*, quand je pesais cent dix kilos pour de bon. Je crois que le mot n'existe pas, mais c'est ce que je peux faire de mieux.

— Je pense que c'est approprié. Que ce soit ou non dans le dictionnaire.

— Ce n'était pas juste le surpoids, même si j'en étais conscient. C'était ça, et l'âge, et...

— Le divorce ? » Ellis avait posé la question avec douceur, le plus « docteur-bobement » possible.

« Oui, aussi, soupira Scott. Il a jeté une ombre sur ma vie. Ça va mieux maintenant, *je* vais mieux, mais l'ombre est encore là. Je ne peux pas prétendre le contraire. Physiquement, cela dit, je ne me sentais pas mal, je continuais de faire de la gym trois fois par semaine, je ne me retrouvais jamais essoufflé avant le troisième set, mais j'étais... traînasson, donc. Ce n'est plus le cas, plus autant.

— Davantage d'énergie ? »

Scott réfléchit puis secoua la tête. « Pas exactement. C'est plutôt comme si la même énergie me permettait d'aller plus loin.

— Pas de léthargie ? Pas de fatigue ?

— Non.

— Pas de perte d'appétit ?

— Je mange comme un cheval.

— Encore une question. Tu me pardonneras, mais je suis obligé de la poser.

— Vas-y. Quoi que ce soit.

— Ça n'est pas une blague, hein ? Pour se moquer du vieux toubib à la retraite ?

— En aucun cas, assura Scott. Je suppose que je n'ai pas besoin de te demander si tu as déjà vu un cas pareil, mais en as-tu jamais lu le compte rendu ? »

Ellis secoua la tête. « Comme toi, ce sont les vêtements qui me tarabustent. Et les pièces de monnaie dans tes poches. »

Bienvenue au club, songea Scott.

« Personne ne pèse le même poids nu qu'habillé. C'est aussi immuable que la gravité.

— Y a-t-il des sites Internet réservés aux médecins où tu pourrais aller voir s'il existe des cas comme le mien ? Même des cas plus ou moins similaires ?

— Il y en a, et j'irai, mais je peux déjà te dire que je ne trouverai rien. » Ellis hésita. « Ce n'est pas seulement que je n'ai jamais rien vu de pareil : à mon avis, *personne* n'a jamais rien vu de pareil. C'est impossible, point final. Du moins si ta balance et la mienne sont justes, et je n'ai aucune raison de croire le contraire. Que t'est-il arrivé, Scott ? Quelle est la genèse de l'affaire ? Est-ce que tu as... je ne sais pas... été irradié par quelque chose ? Ou alors tu as inhalé une bonne bouffée d'insecticide d'une sous-marque quelconque ? Réfléchis.

— J'ai *déjà* réfléchi. Autant que je sache, il ne s'est rien passé. Mais une chose est sûre : je me sens mieux de t'avoir parlé. De ne plus garder ça en moi. » Scott se leva et empoigna son manteau.

« Où vas-tu ?

— Chez moi. Il faut que je travaille sur mes sites. C'est une affaire juteuse. Même si je dois dire qu'elle ne me le paraît plus tout à fait autant qu'avant. »

Le médecin le raccompagna à la porte. « Tu dis avoir remarqué une perte de poids régulière. Lente mais régulière.

— Oui. À peu près cinq cents grammes par jour.

— Quoi que tu manges ?

— Oui, dit Scott. Et si ça continue...

— Ça ne continuera pas.

— Comment peux-tu l'affirmer ? Si personne n'a jamais rien vu de tel ? » À cela, Ellis n'avait pas de réponse. « Garde le secret, Bob. S'il te plaît.

— D'accord, si tu promets de me tenir informé. Je m'inquiète pour toi.

— Je n'y manquerai pas. »

Sur le perron, ils demeurèrent debout côte à côte. La journée était belle. Le feuillage des arbres atteignait son apogée et les collines flamboyaient de couleurs. « Pour passer du sublime au ridicule, dit le docteur Bob, comment ça va avec les dames du restaurant en haut de ta rue ? J'ai cru comprendre que tu avais quelques soucis. »

Scott ne se préoccupa pas de lui demander où il avait entendu cela ; Castle Rock était une petite ville et les nouvelles allaient vite. D'autant plus, supposait-il, que l'épouse d'un médecin à la retraite participait à toutes sortes de comités municipaux ou paroissiaux. « Si Ms McComb et Ms Donaldson[1] t'entendaient les traiter de dames, tu serais sur leur liste noire. Moi, vu mon problème du moment, elles ne sont même pas sur mon radar. »

Une heure plus tard, Scott occupait son propre bureau, dans une belle maison à deux étages de Castle View, au-dessus de la ville proprement dite. Le loyer en était un peu trop élevé pour ses moyens, mais Nora la voulait à tout prix, et lui voulait Nora. À présent, elle était en Arizona et il se retrouvait avec un logement déjà trop grand pour eux deux. Plus le chat, bien sûr. Selon lui, Nora avait eu plus de mal à quitter Bill qu'à le quitter lui. Il admettait que c'était un peu amer, mais la vérité l'était souvent.

Au centre de son écran d'ordinateur s'étalaient en grosses lettres les mots HOCHSCHILD-KOHN BROUILLON DE SITE 4. La chaîne qui l'employait ne s'appelait pas Hochschild-Kohn, cette société-là n'existait plus depuis presque quarante ans, mais, pour un boulot aussi important, se méfier des hackers ne nuisait pas. D'où le pseudonyme.

---

1. « Ms » (prononcer « Miz »), d'un usage relativement récent, permet d'éviter la distinction entre femme célibataire (« Miss ») et mariée (« Mrs. »). *(Toutes les notes sont du traducteur.)*

Scott double-cliqua pour faire apparaître la photo d'un vieux magasin Hochschild-Kohn (qui serait remplacée le moment venu par celle d'un bâtiment bien plus moderne appartenant à son véritable employeur), et, en dessous : *Vous fournissez l'inspiration, nous fournissons le reste.*

C'était ce slogan qui lui avait valu le boulot. La conception de sites de qualité était une chose ; l'imagination et les slogans astucieux en étaient une autre ; quand on les trouvait dans le même individu, on tenait quelqu'un d'exceptionnel. Scott *était* exceptionnel, on lui donnait la chance de le prouver, et il comptait l'exploiter au maximum. Au bout du compte, il collaborerait avec une agence de pub, il le savait : elle modifierait ses textes et ses éléments graphiques, mais il estimait qu'au moins ce slogan-là resterait. La plupart de ses idées de base aussi. Elles étaient assez fortes pour survivre à une bande de petits génies new-yorkais.

Quand il double-cliqua à nouveau, un salon apparut sur l'écran, entièrement vide, pas même équipé de luminaires. Par la fenêtre, on voyait un espace vert se trouvant faire partie du golf de Highland Acres où Myra Ellis avait disputé nombre de parcours – parfois en équipe avec la propre épouse de Scott, qui vivait (et sans doute golfait) désormais à Flagstaff.

Bill le Chat entra, lança un *miaou* ensommeillé et se frotta contre sa jambe.

« Bientôt, la bouffe, murmura Scott. Une ou deux minutes. » Comme si un chat avait le moindre concept des minutes en particulier ou du temps en général.

Comme si, moi, j'en avais un, songea Scott. *Le temps est invisible. Contrairement au poids.*

Quoique, peut-être, n'était-ce pas vrai. On sentait le poids, oui – quand on en avait trop, cela rendait *traînasson* – mais n'était-ce pas principalement, comme le temps, une création humaine ? Les aiguilles de l'horloge, les chiffres de la balance n'étaient-ils pas seulement les instruments d'une tentative de mesure des forces invisibles ayant des effets visibles ? Un faible effort pour circonscrire une réalité plus vaste, au-delà de ce que les simples humains considéraient comme telle ?

« Laisse tomber, tu vas te rendre chèvre. »

Bill lança un autre *miaou*, comme pour acquiescer, et Scott rendit son attention à l'ordinateur.

Au-dessus du salon désert s'étendait un champ de recherche contenant les mots *Choisissez votre style !* Scott tapa *américain classique*, et l'écran prit vie – non d'un coup mais petit à petit, comme si un client minutieux choisissait chaque élément avant de l'ajouter à l'ensemble : des chaises, un canapé, des murs roses peints au pochoir plutôt que tapissés, une pendule Seth Thomas, un tapis bonne femme sur le sol. Une cheminée garnie d'un petit feu douillet. Le lustre en étoile soutenait des lampes-tempêtes au bout de ses rayons de bois. Ce dernier détail était un peu exagéré au goût de Scott, mais les commerciaux auxquels il avait affaire l'adoraient et lui assuraient que les clients potentiels l'adoreraient aussi.

Il lui était possible de tout effacer puis d'équiper une salle à manger, une chambre ou un bureau en *américain classique*. Ou bien de retourner au champ de recherche et de meubler toutes ces pièces virtuelles en style Colonial, Garnison, Rustique ou Cottage. Sa tâche du jour, toutefois, était le Queen Anne. Scott ouvrit son ordinateur portable et entama la sélection des meubles à exposer.

Trois quarts d'heure plus tard, Bill, de retour, se frottait et miaulait avec plus d'insistance.

« D'accord, d'accord », capitula son maître. Il se leva et passa dans la cuisine, Bill le Chat ouvrant la marche avec la queue en l'air. Le pas de l'animal avait la souplesse féline, et Scott se sentait à dire vrai lui-même assez souple. Le pied léger.

Il versa des Friskies dans le bol de Bill et, tandis que le chat mastiquait, sortit sur la véranda pour prendre l'air avant de s'en retourner aux fauteuils Selby, aux canapés Winfrey et aux commodes Houzz, tous munis des célèbres pieds Queen Anne. Des meubles de funérarium, selon lui, du lourd qui tentait de passer pour léger, mais il en fallait pour tous les goûts.

Il arriva dehors à temps pour voir « les dames », comme les appelait le docteur Bob, sortir de leur allée et s'engager sur View Drive, leurs longues jambes luisant sous leurs mini-shorts – bleu pour Deirdre McComb, rouge pour Missy Donaldson. Elles portaient des tee-shirts identiques vantant le restaurant qu'elles tenaient sur Carbine Street, au centre-ville. Leurs boxers quasi jumeaux, Dum et Dee, les suivaient.

Scott se rappela ce qu'avait dit Bob Ellis un peu plus tôt (dans le but probable de le quitter sur une note plus légère), à propos de soucis avec les « dames du restaurant ». Soucis bien réels, quoique pas aussi graves que des peines de cœur ni qu'une mystérieuse perte de poids : c'était plutôt comme une petite douleur lancinante qui ne s'apaisait jamais. Deirdre, surtout, l'agaçait, avec son éternel sourire vaguement supérieur – comme pour dire : *Seigneur, aidez-moi à supporter tous ces imbéciles*.

Scott prit une décision soudaine, regagna son bureau à la hâte (sautant lestement au-dessus de Bill, couché dans le couloir) et empoigna sa tablette. Il rebroussa alors chemin au pas de course, tout en ouvrant l'application appareil photo.

La véranda était équipée d'une moustiquaire, si bien qu'on ne le distinguait pas bien de l'extérieur, et les deux femmes ne lui prêtaient de toute façon aucune attention. Elles couraient sur le bas-côté en terre battue, de l'autre côté de l'avenue, avec leurs baskets blanches qui battaient la mesure et leurs queues-de-cheval qui se balançaient. Les chiens, massifs mais encore jeunes et très athlétiques, les suivaient lourdement.

À deux reprises, Scott était allé chez elles se plaindre de ces chiens. Il s'était chaque fois entretenu avec Deirdre, dont il avait patiemment supporté le sourire supérieur, tandis qu'elle disait douter que les boxers fassent leurs affaires sur sa pelouse. Le jardin était clos, affirmait-elle, et, s'ils en sortaient environ une heure par jour (« Dee et Dum nous accompagnent toujours, Missy et moi, quand nous allons courir »), il étaient *très* sages.

« Je pense qu'ils sentent mon chat, avait insisté Scott. C'est une affaire de territoire. Je le comprends, et je comprends aussi que vous ne les teniez pas en laisse pendant que vous courez, mais j'apprécierais que vous jetiez un coup d'œil à ma pelouse en revenant et que vous la déminiez si nécessaire.

— *Déminer*, avait répété Deirdre sans perdre un instant son sourire. Ça sonne un peu militaire, mais c'est peut-être moi.

— Appelez ça comme vous voulez.

— Monsieur Carey, il est possible que des chiens fassent, comme vous dites, *leurs affaires* sur votre pelouse, mais ce ne sont pas les nôtres. Peut-être n'est-ce pas vraiment cela qui vous ennuie ? Ce ne serait pas un préjugé contre le mariage homosexuel, hein ? »

Scott avait failli éclater de rire, ce qui aurait été de mauvaise diplomatie – à la Trump. « Pas du tout. C'est un préjugé contre le fait de marcher dans un paquet-surprise laissé par vos boxers.

— Bonne discussion », avait conclu Deirdre, toujours parée de ce sourire (pas exaspérant, comme elle l'espérait peut-être, mais sans conteste irritant), avant de lui fermer la porte au nez avec douceur mais fermeté.

Sa mystérieuse perte de poids constituant le cadet de ses soucis pour la première fois depuis des jours, Scott regarda les deux femmes venir dans sa direction. Dum et Dee galopaient joyeusement derrière elles. Deirdre et Missy discutaient en courant, riaient, et leurs joues rougies luisaient de sueur autant que de bonne santé. La McComb, clairement la plus sportive des deux, se retenait tout aussi clairement pour rester à la hauteur de sa partenaire. Elles n'accordaient aucune attention aux chiens, ce qui ne pouvait être considéré comme de la négligence : View Drive n'était pas un grand centre de circulation, surtout en milieu de journée. Et Scott devait admettre que les animaux ne montaient jamais sur la chaussée. En cela, au moins, ils étaient bien dressés.

Ça ne va pas arriver aujourd'hui, songea-t-il. Ça n'arrive jamais quand on est prêt. Pourtant, il serait bien agréable d'effacer ce petit sourire du visage de Ms McComb...

Mais cela arriva. Un des boxers changea de direction, l'autre le suivit, tous les deux coururent jusqu'à la pelouse où on les attendait et s'y accroupirent côte à côte. Scott, levant sa tablette, prit trois photos rapides.

Ce soir-là, après avoir dîné tôt, de spaghettis carbonara suivis d'une bonne part de cheese-cake au chocolat, Scott monta sur sa balance Ozeri, espérant comme toujours ces derniers temps que la situation commençât enfin à se rétablir. Ce n'était pas le cas. Malgré le repas copieux qu'il venait d'avaler, l'Ozeri l'informa qu'il était descendu à quatre-vingt-quinze kilos et demi.

Bill l'observait, assis sur la cuvette des toilettes fermée, la queue bien enroulée autour des pattes. « Bon, lui dit Scott. C'est comme ça, hein ? Comme disait Nora quand elle revenait de ses réunions, la vie est ce qu'on en fait et l'acceptation est la clef de toutes nos affaires. »

Bill bâilla.

« Mais nous changeons aussi ce que nous pouvons changer, non ? Tu vas tenir la boutique pendant que je rends une petite visite. »

Empoignant son iPad, il parcourut à petites foulées les quatre cents mètres qui le séparaient de la ferme rénovée où McComb et Donaldson vivaient depuis environ huit mois – depuis qu'elles avaient ouvert le *Holy Frijole*[1]. Il connaissait assez bien l'emploi du temps des deux femmes, comme on en arrive à surprendre sans le vouloir les allées et venues de ses voisins, et l'heure était propice pour trouver Deirdre seule. Missy, la cheffe du restaurant, partait entamer ses préparatifs du dîner vers quinze heures. Deirdre, la moitié publique du partenariat, n'arrivait que vers dix-sept heures. C'était elle qui commandait, estimait Scott, tant au travail qu'à la maison. Missy Donaldson lui faisait l'effet d'une petite chose délicate qui voyait le monde avec un mélange de crainte et d'émerveillement. Sans doute plus de la première que du second, selon lui. McComb se considérait-elle comme sa protectrice en plus de sa partenaire ? Peut-être. Probablement.

Il monta les marches et sonna à la porte. Aussitôt, Dee et Dum se mirent à aboyer dans le jardin.

Deirdre ouvrit, vêtue d'une jolie robe ajustée qui serait sans aucun doute irrésistible quand elle

1. Les *frijoles* sont des haricots utilisés dans la cuisine mexicaine. *Holy Frijole* (littéralement « *frijole* sacré ») est un nom assez répandu de restaurants mexicains, ainsi qu'une marque commercialisant ces mêmes haricots.

se tiendrait à la réception, attendant de conduire les clients à leurs tables. Ses yeux étaient son meilleur atout : d'une ensorcelante nuance gris-vert, et les coins légèrement relevés.

« Oh, monsieur Carey, dit-elle. Quel plaisir de vous voir ! » Son sourire disait : quel *ennui* de vous voir. « Je vous ferais bien entrer, mais il faut que j'aille au restaurant. Beaucoup de réservations ce soir : un tas de touristes viennent voir le feuillage d'automne, comme vous le savez.

— Je ne vous retiendrai pas longtemps, assura Scott, lui aussi souriant. Je suis juste passé pour vous montrer ceci. » Il leva l'iPad afin qu'elle voie Dee et Dum accroupis sur sa pelouse, chiant en tandem.

Elle regarda un long moment la photo et son sourire disparut – ce qui ne procura pas au visiteur autant de plaisir qu'il s'y attendait.

« Très bien », soupira-t-elle enfin. L'entrain artificiel avait disparu de sa voix. Sans lui, elle paraissait fatiguée, plus vieille que son âge – qui devait se situer aux alentours de trente ans. « Vous gagnez.

— Gagner n'est pas mon but, croyez-moi. » Alors que la phrase quittait sa bouche, Scott se rappela une remarque d'un de ses profs d'université : quand quelqu'un ajoute *croyez-moi* à la fin d'une phrase, on n'a pas intérêt à le croire.

« Alors disons que vous vous êtes fait comprendre. Je n'ai pas le temps de ramasser ça maintenant, et Missy est déjà au travail, mais je m'en occuperai après la fermeture. Vous n'aurez même pas besoin d'allumer votre véranda. Je devrais voir les... restes... à la lueur des lampadaires.

— Ce n'est pas nécessaire. » Scott commençait à se sentir un peu mesquin. Et en tort, bizarrement. *Vous avez gagné*, avait-elle dit. « J'ai déjà ramassé tout ça. Je voulais juste...

— Quoi ? Me mettre le nez dedans ? Si c'est ça, mission accomplie. À partir de maintenant, Missy et moi irons courir au parc. Vous n'aurez pas besoin de nous dénoncer aux autorités municipales. Merci et bonne soirée. » Elle commença à fermer la porte.

« Attendez une seconde, l'arrêta Scott. S'il vous plaît. » Elle le fixa par l'entrebâillement, impassible. « Appeler la fourrière pour quelques crottes ne m'a jamais traversé l'esprit, Ms McComb. Je veux juste que nous soyons de bons voisins. Mon seul problème était votre manière de m'envoyer promener. Vous avez refusé de me prendre au sérieux, et ce n'est pas ce que font les bons voisins. Du moins pas dans le quartier.

— Oh, nous savons très bien ce que *font* les bons voisins, dit-elle. Dans le *quartier*. » Le sourire supérieur revint, et il ne l'avait pas quittée quand elle ferma la porte. Pas avant, toutefois, que Scott ne vît briller dans ses yeux ce qui pouvait être des larmes.

Nous savons très bien ce que font les bons voisins dans le quartier, songea-t-il en redescendant la rue. Qu'est-ce que ça pouvait bien vouloir dire ?

Le docteur Bob l'appela deux jours plus tard pour lui demander s'il y avait du nouveau. Scott l'informa que les choses suivaient toujours leur cours. Il ne pesait plus que quatre-vingt-quatorze kilos. « C'est assez régulier. Quand je monte sur la balance, j'ai l'impression de voir un compteur de bagnole tourner à l'envers.

— Mais toujours pas de changement dans tes mensurations ? Tour de taille ? Tour du cou ?

— Je fais toujours 101 de tour de taille et 86 de longueur de jambe. Je n'ai pas besoin de resserrer ma ceinture. Ni de la desserrer, alors que j'ai un appétit de bûcheron. Œufs, bacon et saucisse au petit déjeuner. Des plats en sauce le soir. J'absorbe au moins trois mille calories par jour. Peut-être quatre mille. Tu as fait des recherches ?

— Oui, répondit Ellis. Pour autant que je le sache, il n'y a jamais eu de cas comme le tien. On a plein de rapports cliniques sur des gens dont le métabolisme est en surmultipliée – qui ont un appétit de bûcheron, comme tu dis, et qui restent minces –, mais on n'a jamais vu personne peser le même poids nu et habillé.

— Oh, mais ça ne s'arrête pas là », dit Scott. Il souriait à nouveau. Il souriait beaucoup ces temps-ci, ce qui semblait assez dingue, étant donné les circonstances. Il perdait du poids comme un cancéreux au stade terminal, mais son travail marchait du feu de Dieu et il ne s'était jamais senti aussi joyeux. Parfois, quand il avait besoin de s'écarter un peu de l'ordinateur, il mettait un disque de la Motown et dansait allègrement – avec Bill le Chat qui le fixait comme s'il était devenu fou.

« Dis-moi ce qu'il y a d'autre.

— Ce matin, je pesais donc quatre-vingt-quatorze kilos. Au sortir de la douche, nu comme un ver. J'ai tiré mes haltères du placard, ceux de dix kilos, j'en ai pris un dans chaque main et je suis remonté sur la balance. Toujours quatre-vingt-quatorze tout rond. »

Il y eut un instant de silence à l'autre bout de la ligne, puis le médecin lança : « Tu te fous de moi.

— Bob, que je meure à l'instant si je mens. »

Encore un peu de silence, puis : « C'est comme si tu avais autour de toi une espèce de champ de force qui repousse le poids. Je sais que tu n'as pas envie de te faire examiner dans tous les sens, mais c'est un truc tout à fait nouveau. Et c'est énorme. Il pourrait y avoir des implications que nous ne sommes même pas en mesure de concevoir.

— Je ne veux pas être un phénomène, dit Scott. Mets-toi à ma place.

— Tu veux bien y réfléchir, au moins ?

— C'est déjà fait, longuement. Et je n'ai aucune envie de m'inscrire au temple de la renommée d'*Inside View*, le roi des tabloïds, avec ma photo entre celles de l'Oiseau de Nuit et du Slender Man[1]. Par ailleurs, il faut que je termine mon travail. J'ai promis à Nora une partie de l'argent, quoique le divorce ait été prononcé avant que je décroche le boulot, et je suis sûr qu'elle en a l'usage.

— Combien de temps cela prendra-t-il ?

— Peut-être six semaines. Pour terminer le gros du travail, bien sûr : les révisions et les tests me tiendront occupé jusqu'à l'an prochain.

— Si ça continue au même rythme, tu pèseras dans les soixante-quinze kilos à ce moment-là.

— Mais j'aurai toujours l'air d'un grand costaud, fit Scott en riant. Eh oui, c'est ça.

— Tu parais d'une gaieté remarquable, compte tenu de ce qui t'arrive.

— Je me *sens* gai. C'est peut-être fou, mais c'est vrai. Des fois, j'ai l'impression de suivre le meilleur régime amaigrissant du monde.

— Oui, dit Ellis. Mais où est-ce que ça s'arrêtera ? »

---

1. Dans l'univers de Stephen King, *Inside View* est un journal à sensations et l'Oiseau de Nuit un vampire. Slender Man, dans la vraie vie, est un mème Internet.

Deux jours après son entretien téléphonique avec le docteur Bob, on frappa des coups légers à sa porte d'entrée. S'il avait écouté la musique – les Ramones, ce jour-là – un peu plus fort, il n'aurait rien entendu, et le visiteur aurait pu s'en aller. Sans doute soulagé car, lorsque Scott ouvrit, ce fut pour découvrir sur son seuil une Missy Donaldson à moitié morte de peur. C'était la première fois qu'il la voyait depuis qu'il avait pris les photos de Dee et Dum en train de se soulager sur sa pelouse. Il supposait que Deirdre avait tenu parole et que les deux femmes couraient désormais au parc municipal. Si elles permettaient aux boxers d'y évoluer en liberté, aussi bien élevés soient-ils, elles risquaient vraiment des ennuis avec la fourrière. Le parc exigeait que les animaux soient tenus en laisse, Scott avait vu les panneaux.

« Ms Donaldson, dit-il. Bonjour. »

C'était aussi la première fois qu'il la voyait seule, et il prit soin de ne pas franchir le seuil ni de faire de geste brusque. La jeune femme avait l'air susceptible, sinon, de bondir en bas des marches et de s'enfuir comme une biche. Elle était blonde, pas aussi jolie que sa partenaire, mais elle avait le visage doux et les yeux bleu clair. Il y avait en elle une fragilité qui évoquait pour Scott les assiettes en porcelaine décoratives de sa mère. On avait peine à l'imaginer au cœur d'une cuisine de restaurant, passant de casserole en casserole et de poêle en poêle dans l'air chargé de vapeur d'eau, disposant des plats végétariens sur des assiettes tout en lançant des ordres au personnel.

« Puis-je vous aider ? Voulez-vous entrer ? J'ai du café... ou du thé, si vous préférez. »

Elle secoua la tête, assez fort pour agiter sa queue-de-cheval d'une épaule à l'autre, avant qu'il ne fût arrivé à la moitié de ces propositions hospitalières standard. « Je suis juste venue vous présenter des excuses. Pour Deirdre.

— Ce n'est pas la peine, dit-il. Et vous n'avez pas non plus besoin d'emmener vos chiens au parc. Tout ce que je voudrais, c'est que vous emportiez un ou deux sacs à crottes et que vous inspectiez ma pelouse au retour. Ce n'est pas trop demander, n'est-ce pas ?

— Non, pas du tout. Je l'ai même suggéré à Deirdre. Elle a failli m'arracher la tête avec les dents. »

Scott soupira. « Désolé de l'apprendre, Ms Donaldson.

— Vous pouvez m'appeler Missy, si vous voulez. » Elle baissa les yeux et rougit un peu, comme si la proposition pouvait être considérée comme osée.

« Je veux bien. Parce que mon seul but, c'est que nous soyons de bons voisins. La plupart des habitants de Castle View s'entendent bien, vous savez. Et il semble que je sois parti avec vous du mauvais pied, encore que je ne voie pas très bien comment j'aurais pu partir du bon.

— Nous sommes ici depuis presque huit mois, répondit-elle, les yeux toujours baissés, et les seules fois que vous nous avez vraiment adressé la parole, à l'une ou à l'autre, c'est quand nos chiens se sont oubliés sur votre pelouse. »

C'était plus vrai que Scott ne l'aurait aimé. « Je suis venu chez vous avec un sac de donuts juste après votre arrivée, déclara-t-il (assez faiblement), mais vous étiez sorties. »

Il crut qu'elle allait lui demander pourquoi il n'avait pas essayé à nouveau, mais elle ne le fit pas.

« Je viens excuser Deirdre, mais je veux aussi la justifier. » Elle leva les yeux vers les siens. Cela lui demanda un effort que trahissaient ses mains serrées, crispées devant elle au niveau de la ceinture, mais elle y parvint. « Elle n'est pas vraiment en colère contre vous... Bon, si, mais vous n'êtes pas le seul. Elle est en colère contre tout le monde. Castle Rock était une erreur. Nous sommes venues ici parce que le restau était quasi prêt à exploiter, que le prix nous convenait, et qu'on voulait quitter la ville – Boston, je veux dire. On savait que c'était un risque, mais il paraissait acceptable. Et le coin est vraiment magnifique. Bon, ça, vous le savez, je suppose. » Scott hocha la tête. « Mais on va sûrement perdre le restaurant. Si ça ne s'arrange pas avant la Saint-Valentin, ce sera une certitude. C'est la seule raison pour laquelle Deirdre a accepté qu'on la mette sur cette affiche. Elle refuse d'en parler, mais elle sait que la situation est très mauvaise. On le sait toutes les deux.

— Elle a dit quelque chose à propos des touristes en cette saison... et, d'après tout le monde, l'été dernier a été particulièrement bon...

— L'été a été bon, oui, répondit Missy avec un peu plus d'animation. Quant aux touristes qui viennent pour les arbres, on en a quelques-uns, mais la plupart vont plus à l'ouest, dans le New Hampshire. À North Conway, il y a plein de magasins où faire ses courses et plus d'activités pour touristes. J'imagine que, quand l'hiver arrivera, les skieurs passeront par ici sur le chemin de Bethel ou de Sugarloaf... »

Scott savait que la plupart des skieurs évitaient Castle Rock, car ils prenaient la Route 2 pour gagner les pistes dans l'ouest du Maine, mais pourquoi la déprimer plus qu'elle ne l'était déjà ?

« Seulement, en hiver, on aurait besoin des gens du coin pour s'en tirer. Vous savez ce que c'est, forcément. Durant la saison froide, les locaux commercent avec d'autres locaux, et ça suffit tout juste à leur garder la tête hors de l'eau en attendant le retour des estivants. La quincaillerie, la scierie, *Chez Patsy*... ils se débrouillent pendant les mois maigres. Mais très peu de gens d'ici viennent au *Frijole*. Il y en a, mais pas assez.

Deirdre dit que ce n'est pas seulement parce qu'on est lesbiennes, mais aussi parce qu'on est *mariées*. Je n'aime pas penser qu'elle a raison... mais je crois que si.

— Je suis sûr... » Il s'interrompit. Que ce n'est pas vrai ? Qu'en savait-il alors qu'il n'avait jamais seulement réfléchi à la question ?

« Sûr de quoi ? » demanda Missy. Pas de manière hautaine mais sur un ton d'honnête curiosité.

Il revit la balance de sa salle de bains, le recul inexorable des chiffres. « En fait, je ne suis sûr de rien. Si c'est vrai, j'en suis désolé.

— Vous devriez venir dîner un de ces soirs », dit-elle. Peut-être était-ce une façon sournoise de lui rappeler qu'il n'avait pas pris un seul repas au *Holy Frijole*, mais il ne le croyait pas. Selon lui, cette jeune femme n'abritait pas en elle beaucoup de sournoiserie.

« Je viendrai, dit-il. Je suppose que vous avez des *frijoles* ? »

Elle sourit. Et s'en trouva illuminée. « Oh oui, de toutes sortes. »

Il lui sourit à son tour. « Question stupide, j'imagine.

— Il faut que j'y aille, monsieur Carey...

— Scott. »

Elle hocha la tête. « Très bien, Scott. Ça m'a fait plaisir de vous parler. Il m'a fallu tout mon courage pour venir ici, mais je suis contente d'avoir réussi. »

Elle lui tendit la main. Scott la serra.

« Juste un truc. Si jamais vous voyez Deirdre, j'apprécierais que vous ne lui disiez pas que je suis venue vous voir.

— Tope là ! »

Deux jours plus tard, assis au comptoir de *Chez Patsy*, où il terminait son déjeuner, Scott entendit derrière lui quelqu'un faire une remarque à propos de « ce restau où on bouffe de la chatte ». Des rires s'ensuivirent. Scott fixa sa part de tarte aux pommes à moitié mangée et la boule de crème à la vanille qui formait à présent une flaque autour du gâteau. Tout cela avait l'air fort bon quand Patsy avait déposé l'assiette devant lui, mais il n'en voulait plus.

Avait-il déjà perçu de telles remarques, et les avait-il filtrées comme la plus grande partie des bavardages sans importance (au moins pour lui) ? Le penser ne lui faisait pas plaisir mais c'était possible.

On va sûrement perdre le restaurant, avait dit Missy. Il faudrait pouvoir compter sur les gens du coin pour s'en tirer.

Elle avait parlé au conditionnel, comme si le *Holy Frijole* avait déjà un panneau À VENDRE ou À LOUER dans la vitrine.

Il se leva, laissa un pourboire sous son assiette et paya son addition.

« Tu n'as pas pu terminer la tarte ? demanda Patsy.

— J'ai eu les yeux plus gros que le ventre », dit Scott, ce qui n'était pas vrai. Ses yeux et son ventre n'avaient pas changé de taille ; ils pesaient moins, voilà tout. Le plus étrange était qu'il ne s'en souciait pas davantage, ne s'en inquiétait même pas tellement. C'était sans doute sans précédent, mais il lui arrivait d'oublier complètement sa perte de poids régulière. Ç'avait été le cas quand il guettait Dee et Dum pour les prendre en photo accroupis sur sa pelouse. Et c'était le cas à présent. À présent, il ne pensait qu'à cette histoire de bouffer de la chatte.

Quatre costauds en bleu de travail occupaient la table d'où était venue la remarque. Une rangée de casques reposait sur l'appui de fenêtre. Les quatre hommes portaient des gilets orange marqués TPCR : Travaux publics de Castle Rock.

Scott gagna la porte, l'ouvrit, puis changea d'avis et s'approcha de la table où étaient installés les cantonniers. Il lui était arrivé de jouer au poker avec l'un d'eux, Ronnie Briggs, et il en connaissait un autre de vue. Des habitants de la ville, comme lui. Des voisins.

« Vous savez quoi ? C'était dégueulasse de dire ça. »

Ronnie leva les yeux, perplexe, puis reconnut son partenaire aux cartes et sourit. « Salut, Scotty, comment ça va ? »

Scott l'ignora. « Ces deux femmes habitent juste en haut de ma rue. Ce sont des filles très bien. » Bon, Missy en tout cas. À propos de McComb, il n'était pas aussi sûr.

Un autre des hommes croisa les bras sur sa large poitrine et le toisa. « Vous participiez à cette conversation ?

— Non, mais...

— Bon. Alors tirez-vous.

— ... mais j'ai été obligé de l'entendre. »

L'établissement de Patsy était petit mais toujours bourré à l'heure du déjeuner donc empli de brouhaha. Les conversations et le claquement industrieux des fourchettes sur les assiettes s'interrompirent soudain. Des têtes se tournèrent. Patsy, derrière sa caisse, semblait craindre des ennuis.

« Une nouvelle fois, mon vieux, tirez-vous. Ça vous regarde pas, ce qu'on dit. »

Ronnie se leva vivement. « Hé, Scotty, je sors avec toi, d'accord ?

— Pas besoin, dit Scott. Je vais sortir tout seul, mais j'ai d'abord quelque chose à dire. Si vous mangez là-bas, la cuisine vous regarde et vous pouvez la critiquer tant que vous voulez. Ce que ces femmes font du reste de leur vie ne vous regarde pas. Compris ? »

Le type qui lui avait demandé s'il participait à la conversation décroisa les bras et se leva. Il n'était pas aussi grand que lui, mais il était plus jeune et très musclé. Son cou épais et ses joues s'étaient empourprés. « Toi, tu emportes ta grande gueule loin d'ici ou je te la claque.

— Allons, allons, pas de ça, intervint sèchement Patsy. Scotty, il faut que tu t'en ailles. »

L'interpellé sortit de la cafétéria sans discuter et inspira une profonde bouffée d'air frais. Des coups furent frappés à la vitrine derrière lui. Il se retourna pour voir Cou de Taureau le regarder et lever le doigt comme pour dire : *attends une seconde*. Toutes sortes d'affiches étaient scotchées sur la vitrine de *Chez Patsy*. Cou de Taureau en détacha une puis alla ouvrir la porte.

Scott serra les poings. Il ne s'était pas battu depuis l'école communale (un combat épique de quinze secondes, durant lequel six coups avaient été échangés, dont quatre ayant raté leur cible), mais il était soudain impatient d'en découdre. Il se sentait léger, plus que prêt. Pas en colère, mais content. Optimiste.

Volette comme le papillon, pique comme l'abeille, songea-t-il. *Viens là, mon gros*.

Mais Cou de Taureau ne voulait pas se battre : il froissa l'affiche et la jeta sur le trottoir aux pieds de Scott. « Voilà ta copine, dit-il. Tu n'as qu'à l'emporter chez toi et te branler dessus. À part si tu la violes, tu ne passeras jamais plus près de la sauter. »

Il rentra s'asseoir avec ses camarades, l'air satisfait : affaire classée. Sachant que tous les clients de la cafétéria le regardaient par la vitrine, Scott ramassa l'affiche et s'éloigna sans but particulier, souhaitant juste cesser d'attirer les regards. Il ne se sentait ni honteux ni stupide d'avoir déclenché une dispute dans l'établissement où venait déjeuner la moitié de Castle Rock, mais tous ces yeux curieux étaient agaçants. Il en venait à se demander comment on pouvait avoir envie de monter sur une scène pour chanter ou raconter des histoires drôles.

Quand il eut défroissé le chiffon de papier, la première chose qui lui vint à l'esprit fut la réflexion de Missy Donaldson : *C'est la seule raison pour laquelle Deirdre a accepté qu'on la mette sur cette affiche*. « On », apparemment, désignait le comité du Trot des Dindes de Castle Rock.

Une photo de Deirdre McComb occupait le centre de l'affiche, qui accueillait aussi celle d'autres coureurs, la plupart à l'arrière-plan. Un grand numéro 19 était épinglé à la ceinture du mini-short bleu de la jeune femme. Au-dessus, son tee-shirt proclamait NEW YORK CITY MARATHON 2011. Deirdre arborait une expression que Scott n'aurait pas associée avec elle : du bonheur pur et simple.

La légende annonçait : *Deirdre McComb, copropriétaire du* Holy Frijole, *l'excellent nouveau restaurant de Castle Rock, atteignant la ligne d'arrivée du Marathon de New York, où elle a terminé* QUATRIÈME *de la division féminine. Elle a annoncé son intention de participer cette année aux 12 km de Castle Rock, le Trot des Dindes.* ET VOUS ?

Tous les détails figuraient en dessous. La course annuelle de Thanksgiving se déroulerait le vendredi après la fête, départ devant le bureau des loisirs à Castle View, arrivée au Tin Bridge[1]. Tous les âges étaient les bienvenus, l'inscription revenait à cinq dollars pour un adulte habitant la commune, sept pour les autres, et deux pour les moins de quinze ans. On pouvait s'inscrire au bureau des loisirs de Castle Rock.

En voyant le bonheur de la femme sur la photo – l'ivresse du coureur à l'état pur –, Scott comprit que Missy n'avait pas exagéré l'espérance de vie du *Holy Frijole*. Pas le moins du monde. Deirdre McComb était fière, elle avait une haute opinion d'elle-même et se vexait vite – bien trop vite, selon lui. Qu'elle eût permis un tel emploi de sa photo, sûrement pour la seule mention de « l'excellent nouveau restaurant de Castle Rock », revenait à dire un « Je vous salue Marie ». Tout, vraiment tout pour attirer de nouveaux clients,

---

1. Littéralement « pont d'étain » ou « pont de fer-blanc ».

même s'ils ne venaient que dans le but d'admirer ses longues jambes à l'accueil.

Scott plia l'affiche, la glissa dans la poche arrière de son jean, et descendit lentement Main Street en regardant les vitrines. Toutes accueillaient des affiches – pour des haricots cuisinés, pour le vide-greniers géant annuel sur le parking du Speedway d'Oxford Plains, pour le loto de l'église catholique, pour une auberge espagnole à la caserne des pompiers… Il vit celle du Trot des Dindes dans la vitrine de Castle Rock Informatique, Vente & Service, mais nulle part ailleurs avant d'atteindre le Coin des Livres, une minuscule boutique au bout de la rue.

Scott entra, fouina un peu, et s'empara d'un livre illustré sur la table des promotions : *Ameublement et décoration en Nouvelle-Angleterre*. Il n'y trouverait peut-être rien de valable pour son projet – dont la première étape était presque achevée, de toute façon –, mais on ne savait jamais. Tandis qu'il payait Mike Badalamente, le patron et unique employé, il désigna l'affiche dans la vitrine et mentionna que la femme y figurant était sa voisine.

« Oui, Deirdre McComb a été championne de course à pied pendant presque dix ans, dit Mike en emballant le livre. Elle aurait participé aux Jeux olympiques de 2012 si elle ne s'était pas cassé la cheville. Pas de bol. En 2016, elle n'a même pas essayé. Je crois qu'elle s'est retirée des grandes compétitions, à l'heure qu'il est, mais j'ai hâte de courir avec elle cette année. » Il sourit. « Cela dit, je ne courrai pas avec elle très longtemps après le coup de pistolet du starter. Elle va tuer la course.

— Les hommes comme les femmes ? »

Mike éclata de rire. « On ne l'appelait pas l'Éclair de Malden pour rien, mon pote. Malden, c'est sa ville natale.

— J'ai vu une affiche chez Patsy, une autre dans la vitrine de la boutique d'informatique et la tienne. Point final. Comment ça se fait ? »

Le sourire de Mike disparut. « Il n'y a pas de quoi être fier. Elle est lesbienne. Ça ne poserait sans doute pas de problème si elle ne l'affichait pas – tout le monde se moque de ce qui se passe derrière les portes closes –, mais il a fallu qu'elle présente la cuisinière du *Frijole* comme sa femme. Un tas de gens du coin ont eu l'impression qu'elle les envoyait chier.

— Donc les magasins refusent d'exposer l'affiche, alors que les inscriptions financent le bureau des loisirs ? Juste parce qu'elle est dessus ? »

Après son altercation avec Cou de Taureau, ce n'étaient pas même de vraies questions, juste un moyen d'ordonner ses idées. Il éprouvait en quelque sorte la même sensation qu'à dix ans, quand le frère aîné de son meilleur copain avait fait asseoir les garçons plus jeunes pour leur expliquer la vie. À présent comme alors, Scott avait déjà une vague idée de l'ensemble, mais les détails lui paraissaient stupéfiants. Les gens faisaient vraiment ça ? Eh oui. Et ça aussi, apparemment.

« Les affiches vont être remplacées par d'autres, reprit Mike. Je le sais parce que je fais partie du comité. C'est une idée de Coughlin, notre maire. Tu connais Dusty : le roi du compromis. Les nouvelles montreront un troupeau de dindes courant sur Main Street. Ça ne me plaît pas, j'ai voté contre, mais je saisis l'idée. La ville ne verse qu'une misère au bureau des loisirs : deux mille dollars. C'est insuffisant pour entretenir le terrain de jeux, sans parler de nos autres activités. Le Trot des Dindes en rapporte presque cinq mille, mais il faut faire circuler l'information.

— Alors... juste parce qu'elle est lesbienne...

— Lesbienne et *mariée*. Pour un tas de gens, c'est rédhibitoire. Tu connais le comté de Castle, Scott. Tu habites ici depuis quoi ? Vingt-cinq ans ?

— Plus de trente.

— Bon, c'est du républicain de base. Du républicain *conservateur*. Le comté a voté pour Trump à soixante-quinze pour cent en 2016, et ses habitants prennent notre abruti de gouverneur pour le messie. Si ces filles étaient restées discrètes, tout se serait bien passé, mais elles ne l'ont pas fait. Maintenant, certains croient qu'elles essaient de prouver quelque chose. Moi, je pense qu'elles étaient ignorantes du climat politique ou bien carrément idiotes. » Il marqua une pause. « On mange très bien chez elles, cela dit. Tu y es allé ?

— Pas encore, dit Scott, mais j'en ai l'intention.

— Eh bien, n'attends pas trop. L'année prochaine au même moment, il y aura sans doute un marchand de glaces à la place. »

2

Holy Frijole

Plutôt que de rentrer chez lui comme prévu, Scott gagna le jardin public pour feuilleter son nouvel achat et en regarder les photos. Il marcha sur l'autre trottoir de Main Street et remarqua ce qu'il appelait désormais l'affiche

Deirdre encore une fois, à la mercerie. Nulle part ailleurs.

Mike avait dit *elles* et *ces filles*, mais Scott doutait que ce fût approprié. Cette affaire ne concernait que McComb, la moitié agressive du couple. Selon lui, Missy Donaldson aurait été toute disposée à rester discrète, elle qui aurait à peine osé faire « bouh ! » à une oie.

Pourtant, elle est venue me voir, songea-t-il, et elle a dit bien plus que « bouh ! ». Ça lui a demandé du courage.

Oui, et il en avait conçu de la sympathie pour elle.

Posant *Ameublement et décoration en Nouvelle-Angleterre* sur son banc, il se mit à monter et redescendre au petit trot l'escalier du kiosque à musique – par besoin non d'exercice mais de mouvement. *J'ai des frelons dans le pantalon*, songea-t-il. *Sans parler des tarentules dans les rotules*. Et il ne montait pas les marches : il les franchissait d'un bond. Au bout d'une demi-douzaine de fois, il retourna à son banc, remarquant avec intérêt qu'il n'était pas hors d'haleine et que son pouls n'était que légèrement accéléré.

Il sortit son téléphone et appela le docteur Bob – qui, tout de suite, l'interrogea à propos de son poids.

« Quatre-vingt-douze et demi ce matin, dit Scott. Dis-moi, as-tu...

— Alors ça continue. Est-ce que tu as réfléchi à creuser la question sérieusement ? Parce qu'une perte de vingt kilos, en gros, c'est sérieux. J'ai encore des contacts à l'hôpital général du Massachusetts, et je crois qu'un examen de A à Z ne te coûterait pas un centime. C'est peut-être même eux qui te paieraient.

— Je me sens bien, Bob. Mieux que bien, en fait. Je t'appelle pour te demander si tu as déjà mangé au *Holy Frijole*. »

Ellis digéra le changement de sujet durant quelques instants avant de répondre : « Le restau de tes voisines lesbiennes ? Non, pas encore. »

Scott fronça le sourcil. « Tu sais quoi ? Elles ne se résument pas forcément à leur orientation sexuelle. C'est juste pour dire.

— Du calme. » Le médecin semblait un peu interloqué. « Je ne voulais pas te froisser.

— OK. C'est juste que... il y a eu un incident au déjeuner. Chez Patsy.

— Quel genre ?

— Une petite dispute. À leur sujet. C'est sans importance. Écoute, Bob, qu'est-ce que tu dirais d'une sortie en ville ? Dîner au *Holy Frijole*. Je t'invite.

— Quel soir as-tu en tête ?

— Pourquoi pas ce soir ?

— Je ne peux pas, mais je pourrai vendredi. Myra passe le week-end chez sa sœur à Manchester, et je suis un déplorable cuisinier.

— Je note le rendez-vous.

— Un rendez-vous avec un homme. La prochaine fois, tu vas me demander en mariage.

— Ce serait de la bigamie de ta part, dit Scott, et je ne te soumettrai pas à la tentation. Mais fais quelque chose pour moi : réserve la table.

— Vous êtes encore à couteaux tirés ? » Ellis parut amusé. « Est-ce qu'il ne vaut pas mieux carrément laisser tomber ? Il y a un chouette restau italien à Bridgton.

— Non. Je suis décidé à manger mexicain. »

Le docteur Bob soupira. « Je peux passer le coup de fil, mais, si j'en crois la rumeur, on n'a sans doute pas besoin de réserver. »

Le vendredi, Scott passa prendre le médecin, qui n'aimait plus conduire la nuit. Le trajet jusqu'au restaurant était court, mais assez long pour que Bob révèle à Scott sa véritable raison de repousser leur soirée : il ne voulait pas se disputer avec Myra, membre de comités municipaux et paroissiaux n'ayant aucune affection pour les deux femmes qui tenaient « l'excellent nouveau restaurant de Castle Rock ».

« Tu plaisantes ? demanda Scott.

— Malheureusement non. Elle a l'esprit ouvert sur la plupart des sujets, mais quand il est question de sexe... disons juste qu'elle a été élevée d'une certaine manière. On aurait pu s'engueuler, et même assez fort, parce que, moi, je crois que ce qui se passe derrière la porte de la chambre ne regarde personne, à part ceux qui y sont. Donc, si possible, je préfère éviter tout à fait le sujet. Les scènes de ménage, quand on est vieux, ça manque de dignité.

— Est-ce que tu lui diras que tu as visité le lieu de perdition mexicano-végétarien de Castle Rock ?

— Si elle me demande où j'ai mangé vendredi soir, oui. Sinon, je la fermerai. Et toi aussi.

— Et moi aussi, confirma Scott, en annexant une place de parking. Nous y voilà. Merci de m'accompagner, Bob. J'espère que ça va régler les problèmes. »

Cela ne régla rien du tout.

Deirdre se trouvait à la réception. Ce soir-là, elle ne portait pas une robe mais une chemise blanche et un pantalon noir fuselé qui mettait en valeur ses jambes admirables. Quand le docteur Bob entra, le premier, elle lui lança un sourire – pas son sourire supérieur, les lèvres fermées, les sourcils haussés, mais un sourire professionnel de bienvenue. Ensuite, elle vit Scott et son visage se ferma. Ses yeux gris-vert le toisèrent froidement, tel un insecte sur une lame de microscope, puis elle les baissa et s'empara de deux menus.

« Je vais vous conduire à votre table. »

Tandis qu'ils la suivaient, Scott admira la décoration. C'était peu dire que McComb et Donaldson avaient fait des efforts : le travail avait été accompli avec amour. De la musique mexicaine – du genre appelé *tenjano* ou *ranchera* – sortait en sourdine des enceintes fixées en hauteur. Le plâtre des murs jaune pâle avait été travaillé pour évoquer des adobes. Les appliques vertes étaient des cactus de verre. De grandes tentures murales montraient un soleil, une lune, deux singes dansants et une grenouille aux yeux d'or. La salle était deux fois plus grande que celle de *Chez Patsy*, mais seuls cinq couples et un groupe de quatre étaient attablés.

« Et voilà, dit Deirdre. J'espère que la cuisine vous plaira.

— J'en suis sûr, répondit Scott. Et je suis content d'être ici. J'espère que nous pourrons repartir sur de nouvelles bases, Ms McComb. Pensez-vous que ce soit possible ? »

Elle le considéra avec calme mais sans chaleur. « Gina va prendre vos commandes et vous informer des plats du jour. »

Sur ces mots, elle disparut.

Le docteur Bob s'assit et déplia sa serviette. « Des linges chauds appliqués doucement sur les joues et le front.

— Je te demande pardon ?

— Le traitement des engelures. Je crois que tu viens de prendre un coup de froid en pleine face. »

Avant que Scott ne pût répondre, une serveuse apparut – l'unique employée, semblait-il. Comme Deirdre McComb, elle portait chemise blanche et pantalon noir. « Bienvenue au *Holy Frijole*. Puis-je vous apporter un apéritif, messieurs ? »

Scott commanda un Coca. Ellis choisit un verre du vin de la patronne puis chaussa ses lunettes pour mieux observer la jeune femme. « Vous êtes Gina Ruckleshouse, n'est-ce pas ? Si, bien sûr. Votre mère était ma secrétaire quand j'avais mon cabinet en ville, à l'ère jurassique. Vous lui ressemblez beaucoup. »

Elle lui sourit. « Je m'appelle Gina Beckett, maintenant, mais c'est bien ça.

— Très heureux de vous voir, Gina. Faites mes amitiés à votre maman.

— Je n'y manquerai pas. Elle travaille à Darmouth-Hitchcock désormais, elle est passée du côté obscur. » À savoir le New Hampshire. « Je reviens tout de suite vous présenter les plats du jour. »

En même temps que les boissons, elle apporta des mises en bouche, posant avec une quasi-révérence des assiettes d'où montait une odeur merveilleuse.

« Qu'est-ce que nous avons là ? demanda Scott.

— Des chips de banane plantain verte frites, sauce à l'ail, à la coriandre et au citron, saupoudrées d'un peu de piment vert. Avec les compliments de notre cheffe. Selon elle, c'est plus cubain que mexicain, mais elle espère que ça vous plaira quand même. »

Quand Gina repartit, le docteur Bob se pencha en souriant vers son compagnon. « On dirait que tu plais à la cuisinière, au moins.

— C'est peut-être toi qui as la cote. Gina a pu murmurer à l'oreille de Missy que sa mère a sué dans ton usine médicale. »

Le docteur Bob agita ses sourcils blancs broussailleux. « Missy, hein ? Alors comme ça, tu l'appelles par son prénom.

— Allez, Doc, arrête.

— D'accord, si tu promets de ne pas m'appeler Doc. J'ai horreur de ça. Ça me fait penser à Milburn Stone.

— Qui ça ?

— Tu chercheras sur Google quand tu arriveras chez toi, mon petit. »

Ils mangèrent – et fort bien. La cuisine était dépourvue de viande mais excellente : des enchiladas avec des *frijoles* et des *tortillas* qui, à l'évidence, ne sortaient pas du supermarché. Tandis qu'ils dînaient, Scott parla à Ellis de son petit esclandre chez Patsy et des affiches montrant Deirdre McComb, bientôt remplacées par d'autres, plus consensuelles, ornées d'un troupeau de dindes stylisées. Il demanda si Myra faisait partie de ce comité-là.

« Non, c'en est un qu'elle a raté… mais je suis sûr qu'elle approuverait le changement. »

Sur ce, il ramena la conversation vers la mystérieuse perte de poids de Scott et son encore plus mystérieuse absence de changement physique. Et, bien sûr, la question la plus mystérieuse de toutes : rien de ce qui était censé l'alourdir, vêtements ou objets, ne l'alourdissait.

Quelques clients supplémentaires entrèrent, et la raison pour laquelle McComb était habillée comme sa serveuse devint claire : elle aussi servait à table ce soir-là. Peut-être tous les soirs. Qu'elle cumulât deux emplois disait clairement la situation financière périlleuse du restaurant. On commençait à faire des économies.

Quand Gina leur demanda s'ils voulaient un dessert, les deux hommes refusèrent. « Je ne pourrais pas avaler une bouchée de plus, mais transmettez à Ms Donaldson que c'était splendide », dit Scott.

Le docteur Bob leva les deux pouces.

« Elle sera ravie, assura Gina. Je vous apporte l'addition. »

Le restaurant se vidait. Seuls restaient quelques couples sirotant un digestif. Deirdre demandait aux clients qui s'en allaient comment s'était déroulé leur repas, les remerciait d'être venus avec de grands sourires. Mais il n'y avait pas de sourires pour les deux hommes assis sous la tapisserie à la grenouille ; pas même un regard dans leur direction.

On nous croirait pestiférés, songea Scott.

« Et tu es sûr que tu te sens bien ? demanda le docteur Bob, peut-être pour la dixième fois. Pas d'arythmie cardiaque ? Pas de vertiges ? Pas de soif excessive ?

— Rien de tout ça. C'est plutôt le contraire. Tu veux que je te raconte un truc intéressant ? »

Il expliqua comment il avait gravi et redescendu les marches du kiosque – quasi bondissant – et pris ensuite son pouls. « Ce n'était pas un pouls au repos, mais il était vraiment bas. Moins de quatre-vingts. Par ailleurs, je ne suis pas médecin, mais je sais à quoi ressemble mon corps, et je n'ai rien perdu dans les muscles.

— Du moins pas encore, dit Ellis.

— Je ne crois pas que ça doive arriver. Je crois que ma masse reste la même, alors que le poids qui devrait aller avec disparaît pour une raison ou une autre.

— C'est une idée folle, Scott.

— Je suis d'accord, mais c'est comme ça. Le pouvoir que la gravité exerce sur moi a sans conteste diminué. Je suis bien obligé de m'en réjouir ! »

Avant que le docteur Bob pût répondre, Gina revint avec le coupon que devait signer Scott. Il s'exécuta, ajouta un pourboire généreux et répéta que tout avait été excellent.

« C'est merveilleux. Revenez, s'il vous plaît. Et parlez de nous à vos amis. » La serveuse se pencha et baissa la voix. « On a *vraiment* besoin de clients. »

Deirdre McComb, quand ils sortirent, n'était pas à la réception mais se tenait sur le trottoir, en bas du perron, les yeux tournés vers le feu tricolore du Tin Bridge. Elle se tourna vers Ellis et lui sourit. « J'aimerais dire un mot en privé à Mr. Carey, vous permettez ? Ça ne prendra qu'une minute.

— Bien sûr. Scott, je vais regarder la vitrine de la librairie d'en face. Tu n'auras qu'à me klaxonner quand tu seras prêt à partir. »

Le docteur Bob traversa Main Street (déserte comme c'était généralement le cas vers vingt heures ; la ville se couchait tôt) et Scott se tourna vers Deirdre. Son sourire avait disparu. Il vit qu'elle était en colère. Alors qu'il espérait arranger la situation en venant dîner au *Holy Frijole*, il l'avait en fait aggravée. Il ne savait pas pourquoi, mais c'était visiblement le cas.

« Qu'est-ce qui vous ennuie, Ms McComb ? Si c'est encore à cause des chiens...

— Pourquoi donc, puisqu'on les promène dans le parc, maintenant ? Du moins, on essaie. Leurs laisses n'arrêtent pas de s'emmêler.

— Vous pouvez les promener à Castle View. Je vous l'ai dit. C'est juste une question de ramasser leurs...

— Oubliez les chiens. » Ses yeux gris-vert lançaient presque littéralement des étincelles. « Le sujet est clos. Ce qu'il faut clore, à présent, c'est votre conduite. On n'a pas besoin que vous preniez notre parti au trou à graillon local et que vous relanciez des discussions qui commençaient tout juste à s'apaiser. »

Si vous croyez que ça s'apaise, vous n'avez pas vu combien de magasins affichent votre photo, songea Scott. Ce qu'il dit fut : « Patsy est très loin de tenir un trou à graillon. Elle ne sert pas le même genre de cuisine que vous, mais c'est propre.

— Propre ou sale, ce n'est pas le problème. S'il faut se battre, je m'en chargerai. Je... On n'a pas besoin que vous jouiez à Sire Galahad. D'une part, vous êtes un peu vieux pour le rôle. » Elle baissa les yeux sur son torse. « D'autre part, vous êtes un peu lourd. »

Étant donné l'état de Scott, la pique manqua sa cible, mais il en éprouva un certain amusement aigre : Deirdre aurait été furieuse d'entendre un homme dire d'une femme qu'elle était trop vieille et trop lourde pour jouer Guenièvre.

« Je vous entends, fit-il. Bien noté. »

La jeune femme sembla momentanément déconcertée par la modération de la réponse – comme si elle avait balancé un coup de poing à une cible facile et l'avait complètement manquée.

« Nous en avons terminé, Ms McComb ?

— Encore une chose. Je ne veux pas que vous vous approchiez de ma femme. »

Donc, elle savait que Donaldson et lui avaient parlé. Ce fut au tour de Scott d'hésiter : Missy avait-elle avoué à sa partenaire être allée le trouver, ou bien avait-elle raconté, dans l'intérêt de la paix des ménages, qu'il était venu la voir ? S'il posait la question, il risquait de lui attirer des ennuis, et il ne le voulait pas. Il n'était pas expert en couples – le sien en était la preuve –, mais il ne doutait pas que les problèmes du restaurant causent déjà assez de tensions entre les deux femmes.

« Pas de souci, dit-il. Nous en avons terminé, maintenant ?

— Oui. » Et, comme lors de leur première confrontation, juste avant de lui refermer la porte au nez, elle ajouta : « Bonne discussion. »

Il la regarda monter les marches, fine et vive dans son pantalon noir et sa chemise blanche. Il l'imaginait gravir et redescendre l'escalier du kiosque, bien plus vite que lui, même avec ses vingt kilos en moins, légère comme une ballerine. Qu'avait dit Mike Badalamente ? *J'ai hâte de courir avec elle. Cela dit, je ne courrai pas avec elle très longtemps.*

Dieu lui avait donné un corps idéal pour la course, et Scott regrettait qu'elle ne l'apprécie pas davantage. Selon lui, derrière son sourire supérieur, Deirdre McComb n'appréciait pas grand-chose ces temps-ci.

« Ms McComb ? »

Elle se retourna, attendit.

« Le repas était vraiment très bon. »

Cela ne suscita aucun sourire, supérieur ou non. « Bien. Je suppose que vous en avez déjà informé Missy par l'intermédiaire de Gina, mais je me ferai un plaisir de le lui répéter. Et, à présent que vous avez prouvé en venant ici que vous êtes du côté des anges politiquement corrects, restez-en donc à Patsy. Je pense qu'on s'en portera tous bien mieux. »

Elle rentra. Scott demeura un temps sur le trottoir, en proie à... quoi ? C'était un tel mélange étrange d'émotions qu'on ne pouvait l'exprimer en un seul mot. Il se sentait remis à sa place, oui. Un peu amusé, certes. Un peu agacé aussi. Mais surtout triste. Voilà une femme qui ne voulait pas d'un rameau d'olivier, alors qu'il avait cru – naïvement, semblait-il – que tout le monde en voulait un.

Le docteur Bob doit avoir raison : je suis encore un gamin, songea-t-il. Merde, je ne sais même pas qui est Milburn Stone[1].

---

1. Cet acteur jouait le rôle de « Doc » dans la série western *Gunsmoke* (*Police des plaines*, en français).

La rue était trop silencieuse pour qu'il ose donner même un bref coup de klaxon, aussi la traversa-t-il pour se poster près d'Ellis devant la devanture du Coin des Livres.

« Tu as réglé la question ? demanda le docteur Bob en se tournant vers lui.

— Pas exactement. Elle m'a dit de laisser sa femme tranquille.

— Eh bien je te suggère d'obtempérer. »

Scott ramena chez lui son compagnon qui, Dieu merci, ne passa pas le voyage à le supplier de se faire admettre à l'hôpital général du Massachusetts, à la clinique Mayo, à celle de Cleveland ou à la NASA. Au lieu de cela, en descendant de voiture, le médecin le remercia de cette intéressante soirée et lui recommanda de donner des nouvelles.

« Je garderai le contact, bien sûr, assura Scott. On est un peu ensemble dans cette histoire à présent.

— Cela étant, je me disais que tu pourrais venir dîner à la maison, par exemple dimanche. Myra ne sera pas rentrée, si bien que nous pourrions regarder les Patriots en haut, plutôt que dans ma triste caverne masculine. Et puis j'aimerais prendre quelques mesures. Commencer à tenir un journal. Tu serais d'accord ?

— Oui au football, non aux mesures. Du moins, pour l'instant. C'est possible ?

— J'accepte ta décision, soupira Bob. J'ai vraiment très bien mangé. La viande ne m'a pas manqué du tout.

— À moi non plus », dit Scott, mais ce n'était pas tout à fait vrai. Une fois rentré chez lui, il se confectionna un sandwich au salami avec de la moutarde chinoise. Puis se déshabilla et monta sur la balance de la salle de bains. Il avait refusé les mesures, car il était sûr que le médecin voudrait le peser chaque fois qu'il vérifierait sa densité musculaire, et il avait une intuition – ou bien une profonde connaissance physique de soi – qui se révéla alors correcte : le matin même, il pesait un peu plus de quatre-vingt-onze kilos ; à présent, malgré un dîner copieux suivi d'une lourde collation, il était descendu à quatre-vingt-dix.

Le processus s'accélérait.

3

Le pari

C'était une fin octobre superbe à Castle Rock, jour après jour de ciel bleu sans nuages et de températures clémentes. La minorité progressiste parlait de réchauffement global, la majorité conservatrice d'un été indien particulièrement beau, qui serait bientôt suivi d'un hiver du Maine typique ; tout le monde en profitait agréablement. Les citrouilles sortaient sur les perrons, chats noirs et squelettes dansaient derrière les fenêtres. À l'école primaire, on enjoignait aux enfants de marcher sur le trottoir le grand soir, et de n'accepter que des bonbons enveloppés. Les lycéens se rendirent déguisés au bal annuel d'Halloween dans le gymnase, pour lequel un groupe de rock garage local, Big Top, se rebaptisa Pennywise et les clowns.

Durant les deux semaines qui suivirent son dîner avec Ellis, Scott continua à perdre du poids sur un rythme de plus en plus rapide. Il tomba à quatre-vingt-un kilos et demi, pour une perte de vingt-sept kilos en tout, mais il continuait de se sentir très bien, super, en pleine forme. L'après-midi d'Halloween, il alla en voiture au drugstore CVS du nouveau centre commercial de Castle Rock et acheta plus de bonbons qu'il n'en aurait sans doute besoin pour Halloween. Les résidents de Castle View ne recevaient plus beaucoup de clients costumés désormais (il y en avait plus avant l'effondrement des Marches des suicidés, quelques années plus tôt), mais il mangerait lui-même tout ce que laisseraient les petits mendiants. L'avantage de son étrange état, outre l'énergie supplémentaire dont il disposait, était de pouvoir engloutir ce qu'il voulait sans se changer en bonbonne. Toutes les graisses qu'il absorbait faisaient peut-être grimper son taux de cholestérol, mais quelque chose lui disait que tel n'était pas le cas. Malgré le bourrelet trompeur au-dessus de sa ceinture, il n'avait jamais été en aussi bonne forme, et son moral n'était pas remonté aussi haut depuis l'époque où le jeu de la séduction battait son plein avec Nora Kenner.

En plus de cela, ses clients étaient enchantés de son travail, convaincus (selon lui à tort) que ses multiples sites web multiplieraient les ventes dans leurs magasins en dur. Il avait récemment reçu un chèque de 582 674,50 dollars, qu'il avait photographié avant de l'encaisser. Il habitait une petite ville du Maine, travaillait chez lui, dans son bureau, et il était quasiment riche.

Scott n'avait revu Deirdre et Missy que deux fois, et de loin, alors qu'elles couraient dans le parc avec Dum et Dee au bout de longues laisses – guère ravis.

Revenu du drugstore, il commença à remonter son allée puis s'approcha de l'orme qui poussait dans sa cour. Les feuilles étaient jaunies mais, grâce à la chaleur de l'automne, la plupart demeuraient sur l'arbre et bruissaient doucement. La branche la plus basse, deux mètres au-dessus de sa tête, le tenta. Il lâcha le sac de bonbons, leva les bras, fléchit les genoux, sauta... et attrapa la branche facilement, ce dont il eût été incapable, et de loin, un an plus tôt. Il n'avait rien perdu de ses muscles, lesquels croyaient toujours soutenir un homme de cent dix kilos. Cela lui remit en mémoire de vieilles images télévisées : les astronautes débarqués sur la lune, effectuant des sauts monstrueux.

Il se laissa tomber sur la pelouse, ramassa les bonbons et gagna la véranda. Plutôt que d'en gravir les marches, il fléchit à nouveau les genoux et sauta d'un bond jusqu'en haut.

Facile.

Ayant rempli de bonbons un saladier, près de la porte d'entrée, il passa dans son bureau et alluma son ordinateur. Il n'ouvrit cependant aucun des fichiers de travail éparpillés sur le bureau mais l'utilitaire de calendrier. Celui de l'année suivante apparut. Les chiffres des dates étaient en noir, hormis les jours fériés et ceux des rendez-vous prévus, en rouge. Scott n'avait encore noté qu'un seul rendez-vous : le 3 mai. La note, en rouge également, consistait en un seul mot : ZÉRO. Quand il l'effaça, le 3 mai redevint noir. Il sélectionna alors le 31 mars et tapa ZÉRO dans la case en question. Tel lui paraissait à présent être le jour où il ne pèserait plus rien, à moins que le taux de perte ne continue d'augmenter. Ce qui était fort possible. En attendant, toutefois, Scott avait l'intention de profiter de la vie. Il estimait se le devoir. Après tout, combien de personnes atteintes d'une maladie mortelle pouvaient-elles dire qu'elles se sentaient fort bien ? Parfois, il songeait à un dicton rapporté par

Nora de ses réunions des Alcooliques anonymes : *le passé est de l'histoire, le futur est un mystère.*

Cela lui paraissait fort bien correspondre à sa situation.

Il reçut ses premiers clients déguisés vers seize heures, les derniers juste après le coucher du soleil. Il y eut des fantômes et des gobelins, des super héros et des *stormtroopers*. Un gamin s'était déguisé en une amusante boîte aux lettres bleu et blanc par la fente de laquelle on voyait ses yeux. Scott donna à la plupart des enfants deux barres chocolatées miniatures, mais celui à la boîte aux lettres en reçut trois car c'était le meilleur. Les plus jeunes étaient accompagnés par leurs parents. Ceux qui vinrent en début de soirée, un peu plus âgés, étaient pour la plupart seuls.

Les ultimes visiteurs arrivèrent juste après dix-huit heures trente : une association garçon-fille peut-être censée personnifier Hansel et Gretel. Scott leur donna à chacun deux bonbons pour éviter leurs représailles (à neuf ou dix ans, ils n'avaient pas l'air particulièrement menaçants), et leur demanda s'ils avaient vu d'autres enfants dans le quartier.

« Non, répondit le garçon, je crois qu'on est les derniers. (Il donna un coup de coude à la fille.) Elle n'arrêtait pas de vouloir se recoiffer.

— Qu'est-ce qu'on vous a donné là-bas ? demanda Scott en désignant la maison de McComb et Donaldson. C'était bon ? » Il venait de songer que Missy avait pu créer des bonbons spécial Halloween, des bâtonnets de carotte trempés dans le chocolat ou quelque chose comme ça.

Les yeux de la petite fille s'arrondirent. « Maman nous a défendu d'y aller, parce que c'est pas des dames comme il faut.

— C'est des lesbines, ajouta le garçon. C'est papa qui l'a dit.

— Ah, dit Scott, des lesbines. Je vois. Allez, rentrez chez vous, les enfants. Restez sur le trottoir. »

Ils reprirent leur chemin en balançant leurs sacs de sucreries. Scott ferma la porte et considéra le saladier à bonbons encore à moitié plein. Il estimait avoir eu seize, peut-être dix-huit clients. Il se demanda combien McComb et Donaldson en avaient eu, elles. Il se demanda si elles en avaient eu un seul.

Passant au salon, il alluma la télévision, vit quelques joyeuses images d'enfants allant quémander des bonbons à Portland, puis il éteignit le récepteur.

Pas des dames comme il faut, songea-t-il. *Des lesbines*. *C'est papa qui l'a dit*.

Une idée lui vint alors, comme lui venaient souvent ses idées les plus amusantes : presque entièrement formée, n'ayant besoin que de quelques réglages et d'un peu de vernis. Une idée amusante n'était pas forcément bonne, bien sûr, mais il comptait bien mettre celle-là en œuvre pour voir le résultat.

« Fais-toi plaisir, dit-il en riant. Fais-toi plaisir avant de te dessécher et de t'envoler. Pourquoi pas ? Hein, sans déconner, pourquoi pas ? »

Scott entra au bureau des loisirs de Castle Rock à neuf heures le lendemain matin, un billet de cinq dollars à la main. Mike Badalamente et Ronnie Briggs, le cantonnier qu'il avait vu pour la dernière fois chez Patsy, étaient assis à la table des inscriptions pour les douze kilomètres du Trot des Dindes. Derrière eux, dans le gymnase, des gamins matinaux disputaient un match de basket improvisé, les tee-shirts contre les torses nus.

« Salut, Scotty, fit Ronnie. Comment ça va, mon pote ?

— Bien, dit Scott. Et toi ?

— Super ! Aussi bien que ça peut aller, même si on m'a retiré des heures aux Travaux publics. Ça fait un moment que je ne t'ai pas vu au poker du jeudi soir.

— Je travaille beaucoup. Gros projet.

— Ouais, bon, tu sais, à propos de ce qui s'est passé chez Patsy... » Ronnie paraissait gêné. « Je suis vraiment désolé. Trevor Yount, il a une grande gueule, et personne n'aime le couper quand il part dans une de ses diatribes. Si on essaie, on risque de se retrouver avec le nez en compote.

— C'est bon, c'est du passé. Hé, Mike, je peux m'inscrire pour la course ?

— Et comment, répondit Mike. Plus on est de fous, plus on rit. Tu me tiendras compagnie au fond du peloton, avec les gamins, les vieux et les gros. On a même un aveugle, cette année. Il va courir avec son chien, qu'il dit. »

Ronnie se pencha par-dessus la table pour tapoter la brioche de Scott. « Et ne t'en fais pas pour ça, mon Scotty, il y a un secouriste posté tous les trois kilomètres, et deux sur la ligne d'arrivée. Si tu fais une embolie gazeuse, ils te feront repartir.

— C'est bon à savoir. »

Scott paya ses cinq dollars et signa une décharge selon laquelle la ville de Castle Rock ne serait pas tenue pour responsable des accidents ou problèmes médicaux susceptibles de le frapper durant les douze kilomètres de course. Ronnie lui griffonna un reçu ; Mike lui remit le plan du parcours et un numéro autocollant. « Tu enlèves la feuille de derrière et tu la colles sur ton tee-shirt avant la course. Ensuite, tu donnes ton nom à un des starters, qu'on mette une croix dans la bonne case, et tu es prêt à partir. »

Scott constata qu'il détenait le numéro 371, et il restait trois semaines avant la grande course. Il émit un sifflement. « C'est bien parti, surtout si les inscrits sont tous au tarif adulte.

— Pas tous mais la plupart, dit Mike. Si c'est comme l'année dernière, on va se retrouver avec huit ou neuf cents coureurs. Il en vient de toute la Nouvelle-Angleterre. Dieu sait pourquoi, mais notre humble petit Trot des Dindes est devenu important. Mes gamins diraient qu'il est devenu viral.

— Le paysage, dit Ronnie. C'est ça qui les attire. Plus les côtes, surtout Hunter's Hill. Et puis le gagnant a le droit d'allumer le sapin de Noël sur la place de la ville, quand même.

— C'est le bureau des loisirs qui détient toutes les concessions le long du parcours, reprit Mike. Pour moi, c'est ça le plus beau. On va vendre un paquet de hot-dogs, de pop-corn, de sodas et de chocolats chaud.

— Pas de bière, en revanche, ajouta tristement Ronnie. Ils ont voté contre, cette année. Comme le casino. »

Et les *lesbines*, songea Scott. La ville a aussi voté contre les *lesbines*. Pas officiellement, mais c'est tout. Apparemment, la devise de la ville est : si on n'est pas capable de rester discret, on n'a qu'à ficher le camp.

« Deirdre McComb compte toujours participer ? demanda-t-il.

— Et comment, répondit Mike. Et elle portera son numéro 19, comme avant. On le lui a gardé spécialement. »

Scott partagea le dîner de Thanksgiving de Bob et Myra Ellis, avec deux de leurs cinq enfants adultes – ceux qui habitaient assez près pour faire l'aller-retour. Il prit deux fois de chaque plat, puis se joignit aux plus petits pour une partie de chat perché endiablée dans le grand jardin.

« Il va faire une crise cardiaque, à courir après avoir mangé tout ça, dit Myra.

— Je ne crois pas, répondit le docteur Bob. Il se prépare pour la grande course de demain.

— S'il essaie de faire plus que du jogging sur les douze kilomètres, il aura bel et bien une crise cardiaque, commenta Myra en regardant Scott poursuivre un de ses petits-enfants, hilare. Je te jure, les hommes d'âge mûr perdent tout bon sens. »

Scott rentra chez lui épuisé, ravi, et impatient de participer au Trot des Dindes le lendemain. Avant de se coucher, il monta sur la balance et remarqua sans surprise excessive qu'il ne pesait plus que soixante-quatre kilos. Il ne perdait pas encore un kilo par jour, pas tout à fait, mais cela viendrait. Allumant son ordinateur, il déplaça le Jour Zéro au 15 mars. Il avait peur – ne pas avoir peur aurait été de l'inconscience –, mais il était aussi curieux. Et autre chose encore. Heureux ?

Était-ce cela ? Oui. C'était sans doute dingue, mais il était heureux. Il se sentait sans conteste privilégié. Ça, c'était dingue, dirait le docteur Bob, mais Scott jugeait cette impression sensée. Pourquoi se lamenter de ce qu'on ne pouvait changer ? Pourquoi ne pas l'accepter ?

Il se mit au lit et dormit jusqu'à ce que son réveil sonne.

Il y avait eu à la mi-novembre un coup de froid assez fort pour geler champs et pelouses. Le vendredi après Thanksgiving, à l'aube, toutefois, le ciel était couvert et il faisait chaud pour la saison. Charlie Lopresti, sur la Chaîne 13, prévoyait de la pluie dans la journée, peut-être abondante, mais cela n'entamait pas l'enthousiasme pour le grand jour de Castle Rock, ni chez les spectateurs ni chez les concurrents.

Scott enfila son vieux short de sport et se rendit à pied au bureau des loisirs, où il arriva à huit heures et quart, plus d'une heure avant le départ prévu. Il y avait déjà là une foule immense, la plupart des participants portant des anoraks à capuche qui seraient abandonnés le long du parcours à mesure que les corps s'échaufferaient. Beaucoup attendaient pour s'enregistrer sur la gauche, près de la pancarte COUREURS HORS COMMUNE. Sur la droite, la pancarte HABITANTS DE CASTLE ROCK attirait une file unique, bien plus courte. Scott détacha son numéro autocollant et l'appliqua sur son tee-shirt, au-dessus de la bosse de son faux ventre. Non loin de là, la fanfare du lycée s'accordait.

Patsy Dinero, de *Chez Patsy*, l'enregistra et le dirigea vers l'arrière du bâtiment, où commençait View Drive, le point de départ de la course.

« Étant autochtone, tu pourrais tricher et te mettre devant, lui dit-elle, mais c'est considéré comme peu élégant. Tu devrais trouver les trois cents autres locaux et rester avec eux. » Elle jeta un coup d'œil à son abdomen. « De toute façon, tu ne tarderas pas à courir derrière, avec les gamins.

— Aïe », fit Scott.

Patsy sourit. « La vérité blesse, hein ? Tous ces hamburgers au bacon et toutes ces omelettes au fromage ont le chic pour revenir nous hanter. Ne l'oublie pas si tu commences à sentir des contractions dans la poitrine. »

Comme il allait rejoindre la foule croissante des autochtones arrivés tôt, il étudia le petit plan. Le parcours décrivait une boucle grossière. Les trois premiers kilomètres consistaient à descendre View Drive jusqu'à la Route 117. Le pont couvert de la Bowie était le point mitan. Ensuite, on prenait la Route 110, qui devenait Bannerman Road une fois franchies les limites de la commune. Le dixième kilomètre incluait Hunter's Hill, la côte parfois appelée le Désespoir du coureur. Elle était si escarpée que les gamins allaient y faire de la luge quand il neigeait, atteignant des vitesses effrayantes mais à l'abri des bas-côtés surélevés par les chasse-neige. Les deux derniers kilomètres s'effectuaient sur Main Street, la principale artère de Castle Rock, qui serait bordée de spectateurs enthousiastes, sans parler des équipes des trois chaînes de télé de Portland.

Tout le monde discutait joyeusement par petits groupes, buvant du café ou du chocolat chaud. Tout le monde sauf Deirdre McComb, bien sûr, incroyablement grande et belle dans son short bleu et ses tennis Adidas immaculées. Elle avait posé son numéro – le 19 – en haut à gauche de son tee-shirt rouge vif, afin d'en laisser la plus grande partie visible. Dessus, on voyait une *empanada*[1] et la mention HOLY FRIJOLE, 142 MAIN STREET.

Faire la publicité du restaurant se défendait… mais seulement si la jeune femme l'estimait utile. Selon Scott, elle avait à présent dépassé cette idée, sachant sans aucun doute que « ses » affiches avaient été remplacées par d'autres, moins discutables : contrairement au type qui allait courir avec son chien (Scott le vit donner une interview près de la ligne de départ), elle n'était pas aveugle. Qu'elle n'ait pas juste dit merde et laissé tomber la course ne le surprenait pas. Il avait une bonne

1. Petit chausson farci.

idée de sa raison d'être là : elle voulait leur frotter le nez dedans.

Et comment, pensa-t-il. Elle veut les battre tous – les hommes, les femmes, les enfants, et l'aveugle avec son chien. Elle veut que toute la ville voie une lesbine, et une lesbine *mariée*, en plus, allumer son sapin de Noël.

Selon lui, elle savait le restaurant grillé, et elle en était peut-être contente, elle avait peut-être hâte de quitter Castle Rock, mais, oui, elle voulait le leur mettre profond avant de déménager avec sa femme et de les laisser avec ce souvenir. Elle n'aurait pas même besoin de faire un discours, juste d'arborer son sourire supérieur. Celui qui disait : *Dans le cul, bande de connards provinciaux bien pensants. Bonne discussion.*

Elle s'échauffait, pliait une jambe après l'autre en se tenant la cheville. Scott s'arrêta à la table des rafraîchissements (gratuits pour les coureurs, un par personne) et prit deux cafés, dont un qu'il paya un dollar, puis il rejoignit Deirdre McComb. Il n'avait aucune vue sur elle, elle ne lui inspirait aucune envie de type romantique, mais il était homme, aussi ne put-il se défendre d'admirer sa silhouette souple tandis qu'elle s'étirait, les yeux levés avec une expression extatique, bien qu'il n'y eût à voir dans le ciel que des nuages gris ardoise.

Elle se concentre, songea-t-il. Elle se prépare. Peut-être pas à sa dernière course, mais à celle qui signifie réellement quelque chose pour elle.

« Bonjour, dit-il. C'est encore moi. L'emmerdeur. »

Elle baissa la jambe et le regarda. Son sourire apparut, aussi prévisible que le lever du soleil à l'est. Son armure. Il y avait peut-être derrière une personne blessée et en colère, mais Deirdre avait décidé que nul ne la verrait. Sauf peut-être Missy. Qui brillait par son absence ce matin-là.

« Mais c'est monsieur Carey, fit-elle. Et arborant un numéro. Ainsi qu'une brioche, et je crois qu'elle a un peu grossi.

— La flatterie ne vous mènera à rien, dit-il. Et puis, c'est peut-être un coussin que j'ai là-dessous, pour tromper mon monde. » Il lui tendit un des gobelets. « Vous voulez un café ?

— Non. J'ai mangé des flocons d'avoine et un demi-pamplemousse à six heures du matin. C'est tout ce que je prendrai jusqu'à la moitié du parcours ; ensuite, je m'arrêterai boire un jus de cranberry à un stand. Maintenant, si vous voulez bien m'excuser, j'aimerais continuer mes étirements et ma méditation.

— Accordez-moi une seconde, demanda Scott. Je ne suis pas vraiment venu vous offrir un café : je savais que vous n'en voudriez pas. Je suis venu vous proposer un pari. »

Ayant saisi sa cheville droite de la main gauche, elle commençait à la soulever derrière elle. Elle la lâcha et le regarda comme s'il venait de lui pousser une corne au milieu du front.

« Qu'est-ce que vous racontez ? Et combien de fois dois-je vous répéter que je trouve malvenus vos efforts pour... je ne sais pas... vous attirer mes bonnes grâces ?

— Il y a une grosse différence entre essayer de s'attirer les bonnes grâces de quelqu'un et se montrer amical, je suis sûr que vous le savez. Ou que vous le sauriez ni vous n'étiez pas toujours autant sur la défensive.

— Je ne...

— Mais vous avez probablement des raisons de l'être, et je n'ai pas envie de jouer sur les mots. Le pari que je vous propose est simple. Si vous gagnez la course, je ne vous ennuierai plus jamais, y compris à propos de vos chiens. Vous pourrez les faire courir sur View Drive autant que vous le voudrez, et, s'ils font leurs crottes sur ma pelouse, c'est moi qui ramasserai sans un mot de protestation. »

La jeune femme paraissait incrédule. « *Si* je gagne ? *Si* ? »

Il ignora cette exclamation. « En revanche, si c'est moi qui l'emporte, Missy et vous viendrez dîner chez moi. Un repas végétarien. Je ne suis pas mauvais cuisinier quand je m'y mets. Nous nous assiérons autour d'une table, nous boirons un peu de vin et nous parlerons. Pour briser la glace, ou au moins essayer. On n'a pas besoin de devenir amis intimes, je ne m'y attends pas, il est très difficile de faire évoluer un esprit fermé...

— Je n'ai *pas* l'esprit fermé.

— Mais on peut peut-être devenir de vrais voisins. Je vous emprunterais une tasse de sucre, vous m'emprunteriez une plaquette de beurre, des trucs comme ça. Si nous ne gagnons ni l'un ni l'autre, match nul. Tout peut continuer comme avant. »

Jusqu'à ce que votre restaurant ferme et que vous quittiez la ville, songea-t-il.

« Que je sois sûre de bien entendre. Vous pariez que vous pouvez me battre aujourd'hui ? Je vais être franche, monsieur Carey. Votre corps me dit que vous êtes un Américain typique qui mange trop et ne fait pas assez d'exercice. Si vous forcez, vous allez vous donner des crampes dans les jambes, un lumbago ou une crise cardiaque. Vous ne me battrez pas. Aujourd'hui, *personne* ne me battra. Maintenant, s'il vous plaît, allez-vous-en et laissez-moi finir de me préparer.

— Très bien, soupira Scott. Je comprends. Vous avez peur de parier. Je me disais que ce serait peut-être le cas. »

Elle lâcha sa deuxième jambe, qu'elle était en train de soulever. « Oh, putain de bordel de merde. *Très bien*. J'accepte le pari. Maintenant, laissez-moi tranquille. »

Scott lui tendit la main en souriant. « Il faut toper là. Comme ça, si vous vous défilez, je pourrai vous traiter de tricheuse bien en face, et vous serez obligée d'encaisser. »

Elle eut un rire nasal mais lui serra brièvement la main avec force. Et, durant un instant – à peine perceptible –, il vit sur ses lèvres l'esquisse d'un véritable amusement. Une simple trace, mais assez pour lui faire penser qu'elle devait avoir un très beau sourire quand elle se laissait aller.

« Parfait, dit-il, avant de conclure : Bonne discussion. » Il commença à s'éloigner, retournant vers les autres numéros 300.

« Monsieur Carey. » Il se retourna. « Pourquoi est-ce aussi important pour vous ? Est-ce parce que je... parce que *nous* menaçons votre virilité d'une manière ou d'une autre ? »

Non, c'est parce que je vais mourir l'année prochaine, songea-t-il, et que j'aimerais au moins réussir quelque chose avant ça. Ce ne sera pas mon couple, il est kaput, et ce ne sera pas non plus les sites des grands magasins, parce que ces gars-là ne comprennent pas que leurs établissements sont comme des fabriques de fiacres au début de l'ère de l'automobile.

Toutefois, il ne dirait pas ces mots-là. Deirdre ne les comprendrait pas. Comment le pourrait-elle, alors que lui-même ne les comprenait pas pleinement.

« C'est important, c'est tout », répondit-il enfin.

Et, sur ce, il la laissa.

4

Le Trot des Dindes

À neuf heures dix, un peu en retard, le maire Dusty Coughlin, un pistolet de starter dans une main, un mégaphone à piles dans l'autre, s'avança devant huit cents coureurs étalés sur quatre cents mètres. Les numéros les plus bas, dont Deirdre McComb, partaient devant. Au milieu des 300, Scott était entouré d'hommes et de femmes qui agitaient les bras, prenaient de profondes inspirations et mastiquaient les dernières bouchées de leurs barres énergétiques. Il en connaissait une bonne partie. La femme à sa gauche, en train d'ajuster un bandeau vert sur sa tête, tenait la boutique d'ameublement locale.

« Bonne chance, Milly », dit-il.

Elle sourit et leva le pouce. « À vous aussi. »

Coughlin leva son mégaphone. « BIENVENUE AU 45e TROT DES DINDES ANNUEL ! EST-CE QUE VOUS ÊTES PRÊTS ? »

Les coureurs acquiescèrent d'un hurlement. Un des musiciens de la fanfare scolaire lâcha une sonnerie de trompette.

« TRÈS BIEN ! ALORS, À VOS MARQUES... PRÊTS... »

Le maire, paré de son large sourire de politicien, leva le pistolet et appuya sur la détente. La détonation sembla se répercuter sur les nuages bas.

« PARTEZ ! »

Les premiers coureurs s'élancèrent en souplesse – Deirdre, facile à repérer avec son tee-shirt rouge vif. Les autres concurrents, serrés les uns contre les autres, ne connurent pas un départ aussi tranquille. Milly Jacobs fut poussée par-derrière contre deux jeunes hommes portant shorts cyclistes et casquettes retournées. Scott l'empoigna par le bras pour la stabiliser.

« Merci, dit-elle. C'est la quatrième fois que je participe, et c'est toujours comme ça au départ.

Comme quand les portes s'ouvrent pour un concert de rock. »

Les types en cyclistes virent une ouverture. Côte à côte, ils dépassèrent Mike Badalamente et un trio de dames qui causaient joyeusement en courant à petites foulées, puis ils disparurent.

Scott remonta au niveau du libraire et agita la main à son attention. Mike le salua à son tour puis se tapota la poitrine du côté gauche et se signa.

Tout le monde croit que je vais avoir un infarctus, songea Scott. La providence facétieuse qui a trouvé malin de me faire perdre du poids aurait au moins pu me retirer un peu de ventre, mais non.

Milly Jacobs – à qui Nora avait naguère acheté une salle à manger – lui lança un sourire en coin. « C'est marrant la première demi-heure. Ensuite, c'est pénible. À partir de huit kilomètres, ça devient infernal. Si on tient jusque-là, on trouve son second souffle. Parfois.

— Parfois, hein ? dit Scott.

— Eh oui. C'est là-dessus que je compte cette année. J'aimerais bien arriver au bout. Je n'ai encore réussi qu'une fois. Contente de vous avoir vu, Scott. » Sur ce, elle pressa le pas et le laissa en arrière.

Lorsqu'il passa devant chez lui, sur View Drive, le peloton commençait à s'étirer et il avait la place de courir. Il avançait sans peine, à petites foulées rapides et régulières. Ce premier kilomètre n'était pas un test probant de son énergie, il le savait, car la route était en descente, mais Milly avait raison : c'était marrant. Scott respirait aisément et se sentait bien. Cela suffisait pour le moment.

Il dépassa quelques coureurs, mais quelques-uns seulement. Bien plus le dépassaient lui, certains venus des 500, certains des 600, et un fou de la vitesse dont le tee-shirt portait le numéro 721 – un comique avec une girouette fixée sur la casquette. Scott n'était pas particulièrement pressé, pas encore. Il voyait Deirdre dans toutes les lignes droites, quelque six cents mètres devant lui : le tee-shirt rouge et le short bleu étaient immanquables. Elle ne forçait pas. Il y avait au moins dix coureurs devant elle, peut-être vingt, ce qui ne surprenait pas Scott. Ce n'était pas son premier rodéo et, au contraire de la plupart des amateurs, elle avait sûrement un plan réfléchi avec soin. Selon Scott, elle permettrait aux autres de donner le rythme jusqu'au huit ou neuvième kilomètre puis commencerait à les dépasser un par un, mais ne prendrait pas la tête avant Hunter's Hill. Elle pourrait même préserver le suspense en attendant le centre-ville pour son sprint final. Toutefois, il ne le croyait pas : elle voudrait une large victoire.

Scott sentait sa légèreté, la force de ses jambes, et résistait à la tentation d'accélérer. Garde juste le tee-shirt rouge en vue, se disait-il. Elle sait ce qu'elle fait, alors laisse-toi guider.

À l'intersection de View Drive et de la Route 117, un panonceau annonçait : *3 km.* Devant Scott, les types en cyclistes, chacun d'un côté de la ligne jaune continue, dépassèrent deux adolescents, et il les imita. Les jeunes semblaient en bonne forme mais avaient déjà le souffle court. Comme il les doublait, il en entendit un lâcher en haletant : « On va quand même pas laisser ce vieux gros passer devant nous ? »

Ils accélérèrent, dépassant Scott, chacun d'un côté, le souffle plus oppressé que jamais.

« Salut, j'aimerais pas être vous ! souffla l'un d'eux.

— Vas-y, fais-toi plaisir », dit Scott en souriant.

Il courait aisément, dévorant la route en longues enjambées. Aucun problème de souffle, non plus que de cœur, et pourquoi pas ? Il pesait quarante-cinq kilos de moins qu'il n'en avait l'air, et ce n'était que la moitié de son avantage. L'autre, c'étaient des muscles encore bâtis pour un homme de cent dix kilos.

La Route 117 prenait un double virage puis longeait la Bowie, qui riait et babillait dans son lit caillouteux peu profond. Pour Scott, elle n'avait jamais produit un plus beau son, l'air brumeux qu'il inspirait au fond de ses poumons n'avait jamais été aussi bon, les grands pins qui se bousculaient de l'autre côté de la route n'avaient jamais eu plus fière allure. Il en sentait l'odeur acidulée, vive et, oui, verte. Chacune de ses inspirations lui semblait plus profonde que la précédente, et il avait sans cesse besoin de se contenir.

Qu'est-ce que je suis heureux d'être vivant aujourd'hui ! songea-t-il.

À l'entrée du pont couvert qui traversait la rivière, un autre panonceau orangé annonçait : 6 *km*. Juste derrière, une pancarte disait : MOITIÉ FAIT ! Le bruit des pas qui résonnaient sous le pont était – au moins pour Scott – aussi beau qu'un roulement de batterie de Gene Krupa. Au-dessus de sa tête, des hirondelles dérangées par les coureurs filaient sous le toit, d'une extrémité à l'autre. L'une fonça droit sur son visage, il en sentit l'aile battre contre son front, et il éclata de rire.

À l'autre bout du pont, un des types en cyclistes, assis sur la balustrade, haletant, se massait le mollet pour en chasser une crampe. Il ne leva pas les yeux quand Scott et les autres le dépassèrent. À la jonction des Routes 117 et 119, des coureurs pressés autour d'un stand se gorgeaient d'eau ou de Gatorade dans des gobelets en plastique avant de reprendre la course. Huit ou neuf, qui s'étaient épuisés lors des six premiers kilomètres, étaient étendus dans l'herbe. Parmi eux, Scott reconnut avec plaisir Trevor Yount – le cantonnier au cou de taureau avec lequel il s'était disputé chez Patsy.

Il dépassa le panneau LIMITES DE LA VILLE DE CASTLE ROCK, le point où la Route 119 devenait Bannerman Road, en hommage au shérif qui avait occupé le plus longtemps ce poste, un infortuné ayant connu une fin tragique dans un des chemins de traverse de la ville. Il était temps d'accélérer le mouvement. Comme Scott dépassait le panonceau orangé *8 km*, il enclencha la vitesse supérieure. Aucun problème. L'air frais était délicieux sur sa peau réchauffée par le sang, comme une caresse soyeuse, et il aimait la sensation que lui communiquait son cœur, ce robuste petit moteur, dans sa poitrine. Des maisons se dressaient à présent des deux côtés de la route. Debout sur les pelouses, des gens brandissaient des pancartes et prenaient des photos.

Il aperçut Milly Jacobs, encore dans la course mais qui commençait à ralentir. Son bandeau vert avait foncé, imprégné de transpiration.

« Alors, Milly, ce deuxième souffle ? Il arrive ? »

Elle se tourna vers lui, franchement incrédule. « Mon Dieu, je ne... n'arrive pas… pas à croire que c'est vous, haleta-t-elle. Je croyais vous avoir laissé... dans la poussière.

— J'ai trouvé quelques forces supplémentaires, dit Scott. Ne renoncez pas maintenant, Milly, c'est le meilleur moment. »

Puis elle fut derrière lui.

La route se mit à enchaîner les côtes basses mais escarpées, et Scott à dépasser des coureurs – certains qui avaient abandonné, d'autres qui s'évertuaient encore, notamment les adolescents l'ayant rejoint un peu plus tôt, vexés d'être doublés, même un instant, par un gros d'âge mûr en baskets merdiques et vieux short de tennis. Ils le fixèrent avec des expressions de surprise identiques. « Salut, j'aimerais pas être vous », fit Scott avec un sourire charmant.

Comme un des deux lui faisait un doigt d'honneur, il leur envoya un baiser puis leur montra les talons de ses baskets merdiques.

Comme il entamait le neuvième kilomètre, un long roulement de tonnerre traversa le ciel d'ouest en est.

Ce n'est pas bon, songea Scott. Les orages de novembre sont sans doute monnaie courante en Louisiane mais pas dans le Maine.

Franchissant un virage, il fit un écart à gauche pour se porter à la hauteur d'un homme évoquant une vieille cigogne émaciée, aux poings serrés devant lui et à la tête renvoyée en arrière. Son maillot de corps dévoilait des bras blancs pareils à des ventres de poisson, ornés de vieux tatouages. Un sourire ironique étirait ses lèvres. « Vous entendez ce tonnerre ?

— Oui !

— Il va tomber des hallebardes. Sacrée journée, hein ?

— Et comment, répondit Scott en riant. C'est les meilleures, celles-là ! » Puis il s'éloigna, quoique pas avant que le vieux maigrichon ne lui assène une bonne tape sur les fesses.

La route était à présent droite. Il repéra le tee-shirt rouge et le short bleu à la moitié de Hunter's Hill, alias le Désespoir du coureur. Il ne voyait plus qu'une demi-douzaine de concurrents devant McComb à présent. Un ou deux pouvaient avoir déjà franchi le sommet de la côte, mais Scott en doutait.

Le moment était venu de passer encore une vitesse.

Ce qu'il fit, désormais classé parmi les coureurs sérieux, les lévriers. Or, nombre de ceux-là commençaient soit à fatiguer, soit à conserver leur énergie pour la côte escarpée. Il surprit des regards incrédules quand ils virent un homme d'âge mûr au ventre gonflant son tee-shirt trempé de sueur se faufiler parmi eux puis les laisser derrière lui.

Une fois sur Hunter's Hill, Scott commença à avoir le souffle court. L'air qui allait et venait dans ses poumons acquit un goût de cuivre chaud. Ses pieds ne lui semblaient plus aussi légers et ses mollets le brûlaient. Une douleur sourde palpitait dans son bas-ventre, à gauche, comme s'il s'était déchiré quelque chose. La seconde moitié de la côte lui parut interminable. Il songea à ce qu'avait dit Milly : d'abord marrant, ensuite pénible, ensuite infernal. En était-il à la phase pénible ou infernale ? Entre les deux, estima-t-il.

S'il n'avait jamais pensé battre Deirdre McComb (bien qu'il n'eût pas décompté cette possibilité), il avait cru en revanche qu'il terminerait la course dans les premiers – que les muscles bâtis pour porter son ancienne carcasse, plus lourde, suffiraient à l'amener au bout. À présent, comme il dépassait deux coureurs ayant jeté l'éponge, l'un assis la tête baissée, l'autre allongé sur le dos, haletant, il commença à se poser des questions.

Je pèse peut-être encore trop lourd, se dit-il. Ou bien je ne suis tout bonnement pas taillé pour ce genre de chose.

Il y eut un autre coup de tonnerre.

Le haut de Hunter's Hill ne semblant pas se rapprocher, Scott baissa la tête sur la route et regarda les gravillons enchâssés dans le macadam défiler comme les galaxies dans un film de science-fiction. Il leva les yeux juste à temps pour éviter une rouquine essoufflée, les mains sur les genoux, les pieds de part et d'autre de la ligne jaune. Scott la contourna de justesse et vit le haut de la côte soixante mètres plus loin. Ainsi qu'un des panonceaux orangés : *10 km*. Sans le quitter des yeux, il continua à courir, non plus haletant mais quasi hors d'haleine, et sentant bien ses quarante-deux ans. Son genou gauche se mit à protester, palpitant au rythme de la douleur dans son bas-ventre. La sueur coulait sur ses joues comme de l'eau chaude.

Tu vas y arriver. Tu vas le faire. Donne tout ce que tu as.

Et pourquoi pas, bordel ? Si le Jour Zéro s'avérait tomber aujourd'hui plutôt qu'en février ou en mars, quelle importance ?

Il dépassa le panonceau et arriva au sommet de la côte. La Scierie Purdy sur la droite, la Quincaillerie Purdy sur la gauche. Encore deux kilomètres tout rond. Scott apercevait le centre-ville en contrebas, une vingtaine de boutiques des deux côtés, ornées de banderoles et fanions, l'église catholique et l'église méthodiste face à face tels de bienheureux duellistes, le parking pentu (complet), les trottoirs noirs de monde et les deux feux tricolores. Au-delà du second s'étendait le Tin Bridge, que barrait le ruban jaune vif de la ligne d'arrivée, décoré de dindes. Devant lui, Scott ne voyait plus que six ou sept coureurs. La jeune femme au tee-shirt rouge était deuxième et en train de réduire son retard sur le premier. Deirdre passait à l'action.

Je ne la rattraperai jamais, songea Scott. Elle a trop d'avance. Cette foutue côte ne m'a pas rompu, mais elle m'a bien fait plier.

Puis ses poumons semblèrent se rouvrir, chaque inspiration aller plus loin que la précédente. Ses tennis (pas des Adidas à la blancheur aveuglante, juste de vieilles Puma miteuses) parurent larguer la couche de plomb dont elles s'étaient chargées, et sa légèreté lui revint d'un coup. C'était ce que Milly appelait le second souffle, ce que des pros comme McComb appelaient sans aucun doute l'ivresse du coureur. Scott préférait cela. Il se rappelait le jour où il avait fléchi les genoux et bondi pour attraper la branche dans sa cour. Il se revoyait en train de courir sur les marches du kiosque à musique, de danser dans sa cuisine pendant que Stevie Wonder chantait « Superstition ». C'était la même chose. Pas un souffle, pas même tout à fait une ivresse, mais une élévation. Le sentiment de s'être dépassé et de pouvoir aller encore plus loin.

Tout en descendant Hunter's Hill, avec le garage Ford de Mr. O'Leary d'un côté et la supérette Zoney de l'autre, il dépassa un coureur puis un second. Puis quatre. Il ne savait pas s'ils le regardaient avec de grands yeux quand il les doublait en coup de vent, et il s'en moquait : son attention était accaparée par le tee-shirt rouge et le short bleu.

Deirdre passa en tête. À cet instant, un nouveau coup de tonnerre résonna – le pistolet de starter de Dieu – et Scott sentit une première goutte d'eau froide sur sa nuque. Une deuxième sur son bras. Baissant les yeux, il en vit d'autres frapper la route, y tracer des points sombres de la taille de pièces de 10 cents. Il y avait à présent des spectateurs de part et d'autre de Main Street, bien qu'on fût encore à un kilomètre et demi de la ligne d'arrivée, à huit cents mètres des premiers trottoirs de la ville. Scott vit des parapluies s'ouvrir comme éclosent les fleurs. Ils étaient magnifiques. Tout était magnifique : le ciel obscurci, les cailloux dans le goudron, le panonceau orange annonçant le dernier kilomètre du Trot des Dindes. Le monde se dressait fièrement.

Devant Scott, un coureur quitta brusquement la route, tomba à genoux puis roula sur le dos, les yeux levés vers la pluie, la bouche ouverte sur une grimace douloureuse. Il n'en restait plus que deux entre Deirdre et lui.

Scott franchit en un éclair le dernier panonceau. Plus qu'un kilomètre, un tout petit kilomètre. Il était passé de seconde en troisième. À présent que les rues commençaient à se border de trottoirs accueillant des spectateurs enthousiastes des deux côtés, certains agitant des banderoles aux couleurs du Trot des Dindes, on allait bien voir s'il disposait d'une surmultipliée.

Allez, un peu de nerf, mon salaud, songea-t-il en pressant le pas.

La pluie hésita tout juste assez longtemps pour qu'il la croie susceptible de se retenir jusqu'à la fin de la course, puis elle s'abattit en un véritable torrent, chassant les spectateurs sous les auvents et les porches. La visibilité tomba à vingt pour cent, puis à dix, puis presque à zéro. Scott jugea cette pluie froide plus que délicieuse, quasi divine.

Il rattrapa un coureur, puis un autre. Le second était l'ancien meneur, que Deirdre avait dépassé et qui allait au pas, pataugeant le long de la rue inondée, la tête basse, les mains sur les hanches, son maillot trempé plaqué sur le torse.

Plus loin, à travers un rideau de pluie grise, Scott voyait le tee-shirt rouge. Il estimait avoir assez de jus dans le réservoir pour rattraper Deirdre, mais la course risquait de se terminer avant qu'il n'y parvienne. Le feu tricolore au bout de Main Street avait disparu. De même que le Tin Bridge et le ruban jaune tendu de l'arrivée. Il n'y avait plus que McComb et lui, à présent, tous les deux courant aveuglément à travers le déluge, et Scott n'avait jamais été aussi heureux de sa vie. Quoique le mot heureux fût trop faible : ce qu'il découvrait en explorant les limites ultimes de sa résistance, c'était un autre monde.

Tout mène là, songea-t-il. À cette élévation. Si c'est ce qu'on ressent quand on meurt, on devrait se réjouir de partir.

Il était assez près de Deirdre McComb pour la voir regarder en arrière, jetant dans le mouvement sa queue-de-cheval trempée sur son épaule à l'instar d'un poisson mort. Les yeux de la jeune femme s'écarquillèrent quand elle reconnut celui qui lui disputait la première place. Baissant la tête, elle puisa dans une petite réserve de vitesse.

Scott commença par l'égaler puis il courut plus vite – et se rapprocha, se rapprocha encore. Il était désormais assez près pour toucher le dos du tee-shirt trempé de Deirdre, pour voir les filets de pluie incolore courir sur sa nuque. Pour l'entendre, même à travers le vacarme de l'orage, inspirer bruyamment l'air entre les gouttes de pluie. Il la voyait, elle, mais pas les bâtiments qu'ils dépassaient, ni le dernier feu, ni le pont. Il ne savait plus à quelle hauteur de Main Street il se trouvait et ne disposait d'aucun repère pour l'aider. Son unique horizon était le tee-shirt rouge.

La jeune femme regarda encore en arrière. Ce fut une erreur. Son pied gauche heurta sa cheville droite et elle s'effondra, les bras écartés, surfant sur la chaussée inondée et soulevant des gerbes d'éclaboussures, comme un gamin qui fait un plat dans une piscine. Scott l'entendit gémir quand l'air fut chassé de ses poumons.

Il s'arrêta et se pencha sur elle. Elle se tourna pour lever les yeux vers lui, appuyée sur un bras. Son visage était un mélange torturé de fureur et de souffrance. « Comment avez-vous triché ? haleta-t-elle. Nom de Dieu, comment avez-vous tr... »

Il l'empoigna. Un éclair jaillit, une brève lueur qui lui arracha une grimace. « Venez. » Il lui passa l'autre bras autour de la taille et la remit sur ses pieds.

Comme jaillissait un autre éclair éblouissant, elle écarquilla les yeux. « Oh, mon Dieu, qu'est-ce que vous faites ? *Qu'est-ce qui m'arrive ?* »

Il ignora la question. Les pieds de la jeune femme bougeaient, mais pas sur la chaussée désormais inondée de deux centimètres d'eau mouvante : ils pédalaient dans l'air. Scott savait ce qu'elle éprouvait, et ce devait être ahurissant, mais il n'en allait pas de même pour lui. Deirdre se sentait légère, peut-être plus que légère, mais elle restait lourde entre ses bras : un corps mince tout en muscles. Il la lâcha. S'il ne voyait toujours pas le Tin Bridge, il distinguait la fine ligne jaune de l'arrivée.

« *Allez !* cria-t-il, le bras tendu. *Courez !* »

La jeune femme obéit. Il courut derrière elle. Elle brisa le ruban. Un éclair jaillit. Scott suivit le mouvement, les mains levées sous la pluie, ralentissant le pas en arrivant sur le Tin Bridge. Il trouva Deirdre à quatre pattes au milieu du pont et se laissa tomber près d'elle. Tous les deux peinaient à inspirer un air qui paraissait en grande partie liquide.

Elle le regarda, le visage ruisselant, comme en larmes.

« Qu'est-ce qui s'est passé ? Quand vous avez passé le bras autour de moi, j'ai eu l'impression de ne plus rien peser ! »

Scott songea aux pièces dont il avait bourré ses poches le jour où il était allé voir le docteur Bob. Il se revit sur sa balance avec des haltères de dix kilos dans les mains.

« C'était bien ça, dit-il.

— DeeDee ! *DeeDee !* »

Missy courait vers eux, les bras écartés. Deirdre se remit sur ses pieds dans un déluge d'éclaboussures et enlaça sa femme. Toutes les deux titubèrent, faillirent tomber. Scott tendit les bras pour les rattraper mais ne les toucha pas. La foudre jaillit à nouveau.

Puis la foule arriva, et ils se retrouvèrent entourés par des habitants de Castle Rock qui applaudissaient sous la pluie.

5

Après la course

Ce soir-là, étendu dans une eau aussi chaude qu'il pouvait le supporter, Scott tentait de chasser la douleur de ses muscles. Quand son téléphone sonna, il le chercha gauchement sous les vêtements propres pliés sur une chaise près de la baignoire. *Je suis enchaîné à cette saleté*, songea-t-il.

« Allô ?

— Deirdre McComb, monsieur Carey. Quel soir dois-je prévoir pour notre dîner ? Lundi, ce serait bien, parce que le restaurant est fermé. »

Scott sourit. « Je crois que vous avez mal compris le pari, Ms McComb. Vous avez gagné, et vos chiens ont désormais quartier libre sur ma pelouse, à perpétuité.

— Nous savons tous les deux que ce n'est pas tout à fait vrai, dit-elle. En fait, vous avez perdu exprès.

— Vous méritiez de gagner. »

Elle éclata d'un rire qu'il entendait pour la première fois et qui était charmant. « Mon coach du lycée s'arracherait les cheveux s'il entendait ça. Il disait toujours que le mérite n'a rien à voir avec la place à l'arrivée. Cela dit, j'accepte la victoire si vous nous invitez à dîner.

— Alors, je vais réviser ma cuisine végétarienne. Lundi, ça me va, mais seulement si vous emmenez votre femme. Disons vers sept heures ?

— C'est parfait, et elle ne manquerait ça pour rien au monde. Et puis… » Elle hésita. « Je tiens à m'excuser de ce que j'ai dit. Je sais que vous n'avez pas triché : vous n'auriez eu aucun moyen de le faire. Par ailleurs, je ne crois pas que ce soit votre genre.

— Vos excuses sont inutiles », dit Scott, sincère. Car, d'une certaine manière, quoique à son corps défendant, il avait triché.

« Sinon pour cela, je vous en dois pour la manière dont je vous ai traité. Je pourrais plaider les circonstances atténuantes, mais Missy me dit qu'il n'y en a pas, et elle a peut-être raison. J'ai certaines... attitudes... et les modifier n'a pas été facile. »

Ne sachant que répondre, il changea de sujet. « L'une de vous est-elle allergique au gluten ? Ou au lactose ? Dites-le-moi, que je ne prépare pas quelque chose que Missy – Ms Donaldson – ou vous ne puissiez pas manger. »

Deirdre rit à nouveau. « Nous ne mangeons ni viande ni poisson, mais c'est tout. Tout le reste est au menu.

— Même les œufs ?

— Même les œufs, monsieur Carey.

— Scott. Appelez-moi Scott.

— D'accord. Et je m'appelle Deirdre. Ou DeeDee – pas Dee : c'est le chien. » Elle hésita. « Quand nous viendrons dîner, pourrez-vous expliquer ce qui s'est passé au moment où vous m'avez relevée ? Il m'est arrivé d'éprouver des sensations étranges en courant, des perceptions bizarres, tous les coureurs vous diront la même chose...

— J'en ai moi-même eu quelques-unes, dit Scott. À partir de Hunter's Hill, tout a été très... bizarre.

— Mais je n'avais encore jamais rien ressenti de ce genre-là. Pendant quelques secondes, j'ai eu l'impression d'être dans la navette spatiale, ou quelque chose comme ça.

— Je peux l'expliquer, oui. Mais j'aimerais inviter mon ami, le docteur Ellis, qui est déjà au courant. Et sa femme, si elle est libre. » *Si elle accepte de venir*, évitait-il de dire.

« Parfait. À lundi, en ce cas. Oh, et regardez donc le site du *Press Herald*. L'article ne sera dans le journal que demain, bien sûr, mais il est déjà en ligne. »

Et comment, songea Scott. Au XXIe siècle, les journaux imprimés aussi sont des fabriques de fiacres.

« Je n'y manquerai pas.

— Vous croyez que c'était la foudre ? À la fin ?

— Oui », dit Scott. Quoi d'autre ? La foudre allait avec les orages comme le beurre de cacahuète avec la *jelly*.

« Je l'ai cru aussi », dit Deirdre McComb.

Scott s'habilla et alluma son ordinateur. L'article figurait sur la page d'accueil du *Press Herald*, et il était sûr qu'il occuperait la première page de l'édition du samedi, peut-être tout en haut, sauf nouvelle crise mondiale. Le gros titre disait : LA PATRONNE D'UN RESTAURANT LOCAL REMPORTE LE TROT DES DINDES DE CASTLE ROCK. D'après le journal, c'était la première fois qu'un habitant de la ville remportait l'épreuve depuis 1989. Il n'y avait que deux photos en ligne, mais Scott supposait que la version imprimée du samedi en publierait davantage. Ce n'était pas la foudre qu'ils avaient vu, à la fin, c'était le flash du photographe de presse, qui avait pris des clichés de première qualité.

Le premier montrait Deirdre et Scott ensemble, avec à l'arrière-plan la tache rouge délavée du feu du Tin Bridge. La jeune femme était donc tombée à moins de soixante-dix mètres de l'arrivée. Scott lui entourait la taille d'un bras. Des cheveux échappés à sa queue-de-cheval plaqués contre les joues, elle le considérait avec un émerveillement épuisé. Il baissait les yeux vers elle... et lui souriait.

Elle s'en est sortie avec un peu d'aide d'un ami[1], disait la légende, et, en dessous : *Scott Carey, lui aussi domicilié à Castle Rock, aide Deirdre McComb à se relever après sa chute sur la route inondée, tout près de la ligne d'arrivée.*

La deuxième photo était intitulée L'ÉTREINTE DE LA VICTOIRE, et la légende nommait ses trois protagonistes : Deirdre McComb, Melissa Donaldson et Scott Carey. Deirdre et Missy s'enlaçaient. Quoique Scott ne les eût pas touchées, se contentant de lever d'instinct les bras autour d'elles pour les retenir si elles tombaient, il semblait se joindre à l'étreinte.

---

1. La phrase originale est une allusion directe à la chanson des Beatles *With a Little Help from my Friends*.

L'article donnait le nom du restaurant que Deirdre McComb dirigeait avec « sa partenaire », et citait une critique publiée dans le journal au mois d'août, parlant de « cuisine végétarienne à la mode tex-mex qu'il faut absolument goûter ; mérite le détour ».

Bill le Chat avait pris sa position habituelle quand Scott était devant l'ordinateur : perché sur une table d'appoint, observant son humain familier de ses yeux verts impénétrables.

« Tu sais quoi, Bill ? dit Scott. Si ça, ça n'attire pas des clients, rien n'y fera. »

Il passa dans la salle de bains et monta sur la balance. Ce qu'elle lui apprit ne le surprit pas : il était tombé à soixante-deux kilos. Peut-être était-ce la fatigue, mais il ne le croyait pas. Ce qu'il croyait, c'était qu'en poussant son métabolisme à la vitesse supérieure (et finalement en surmultipliée), il avait accéléré le processus.

Que le Jour Zéro arrive plusieurs semaines avant la date prévue commençait à paraître probable.

Myra Ellis vint dîner avec son mari. Elle se montra d'abord timide – quasi nerveuse –, de même que Missy Donaldson, mais un verre de pinot (que Scott servit avec fromage, crackers et olives) détendit ces deux dames. Ensuite, miracle : elles se découvrirent toutes deux mycophiles et passèrent tout le repas à discuter de champignons comestibles.

« Qu'est-ce que vous êtes calée ! s'exclama Myra. Je peux vous demander si vous avez fait une école de cuisine ?

— Oui. Après avoir rencontré DeeDee, mais bien avant notre mariage. Je suis allée à l'ICE. C'est...

— L'*Institute of Culinary Education*, à New York ! » coupa Myra, enthousiaste, faisant tomber quelques miettes sur son chemisier en soie à volants. « C'est célèbre ! Je suis terriblement *jalouse*, vous savez ! »

Deirdre les regardait en souriant, le docteur Bob également, donc tout allait bien.

Scott avait passé la matinée au supermarché Hannaford local, avec l'exemplaire abandonné par Nora des *Joies de la cuisine* ouvert sur le siège pour bébés de son caddie. Il avait posé beaucoup de questions, et la recherche avait payé, comme c'était souvent le cas. Il servit des lasagnes végétariennes à la florentine avec des pointes d'ail grillées, et fut enchanté – mais guère surpris – de voir Deirdre en avaler non pas une mais deux grosses parts. Encore en mode post-course, elle se gavait de glucides.

« Comme dessert, il y a un quatre-quarts que j'ai acheté, prévint-il, mais la crème au chocolat est maison.

— Je n'en ai pas mangé depuis que j'étais gamin, avoua Bob Ellis. Ma mère en faisait pour les grandes occasions. On appelait ça la choco-crème. Apporte-nous ça.

— Et du chianti », ajouta Scott.

Deidre applaudit. Elle avait pris des couleurs, ses yeux étincelaient : à l'évidence, son corps tout entier fonctionnait à plein régime. « Oui, apportez ça aussi ! »

C'était un bon repas, le premier pour lequel il mettait les petits plats dans les grands depuis que Nora avait levé le camp. Comme il regardait manger et écoutait parler ses invités, il réalisa combien sa maison était vide quand seuls Bill et lui s'y traînaient.

À tous les cinq, ils démolirent le quatre-quarts. Comme Scott allait débarrasser, Myra et Missy se levèrent ensemble. « Laisse-nous faire ça, dit Myra. Toi, tu as cuisiné.

— Pas question, m'dame. Je vais tout poser à côté de l'évier et je remplirai le lave-vaisselle plus tard. »

Scott emporta les assiettes à dessert dans la cuisine, où il les empila sur le plan de travail. Quand il se retourna, ce fut pour découvrir derrière lui une Deirdre souriante.

« Si jamais vous voulez du boulot, Missy cherche un sous-chef.

— Je ne tiendrais sûrement pas la cadence, dit-il, mais j'y penserai. Comment ç'a été, les affaires, ce week-end ? Très bien, j'imagine, si Missy a besoin d'aide.

— On était complets. Toutes les tables. Des gens d'ailleurs, mais aussi des habitants de Castle Rock que je n'avais encore jamais vus, du moins chez nous. Et on a des réservations pour neuf ou dix jours. C'est comme une ouverture, quand les clients viennent voir ce qu'on propose. Si ce n'est pas bon, ou même seulement moyen, la plupart ne font pas de deuxième essai, mais la cuisine de Missy est bien meilleure que ça : ils reviendront.

— Gagner le Trot des Dindes a tout changé, hein ?

— Ce sont les photos qui ont tout changé. Or, sans vous, elles auraient juste montré une gouine venant de gagner une course à pied, belle affaire.

— Vous êtes trop dure avec vous-même. »

Elle secoua la tête en souriant. « Je ne crois pas. Préparez-vous, mon grand, parce que je vais vous serrer dans mes bras. »

Elle s'avança. Scott recula d'un pas en levant les mains, les paumes en avant. Le visage de Deirdre s'assombrit.

« Ce n'est pas vous, dit-il. Croyez-moi, il n'y a rien qui me ferait plus plaisir que de vous serrer dans mes bras. On le mérite tous les deux. Mais ce serait peut-être dangereux. »

Missy se tenait sur le seuil de la cuisine, tenant par le pied des verres à vin. « Qu'y-a-t-il, Scott ? Quelque chose qui ne va pas ? »

Il sourit. « On peut le dire. »

Le docteur Bob se joignit aux deux femmes. « Tu vas leur expliquer ?

— Oui, dit Scott. Dans le salon. »

Il leur dévoila tout, ce qui le soulagea infiniment. Myra ne paraissait que perplexe, comme si elle n'avait pas tout à fait compris, mais Missy était incrédule.

« Ce n'est pas possible. Quand on perd du poids, le corps change, c'est un fait. »

Scott hésita puis s'approcha d'elle, assise sur le canapé près de sa compagne. « Donnez-moi la main. Juste une seconde. »

Elle la lui tendit. Cela ne pouvait faire aucun mal, se dit-il en espérant ne pas se tromper. Après tout, il avait relevé Deirdre quand elle était tombée, et elle allait bien.

Il prit donc la main de Missy et tira. La jeune femme s'envola du canapé, les yeux écarquillés, ses cheveux formant un sillage derrière elle. Scott la rattrapa de manière à éviter qu'elle ne le percute, la reposa et recula. Missy ne put éviter de fléchir les genoux quand il la lâcha et qu'elle retrouva son poids normal. Puis elle se redressa, posant sur lui de grands yeux stupéfaits.

« Vous... Je... Oh, nom d'un chien !

— Comment était-ce ? demanda le docteur Bob, penché en avant sur son fauteuil, les yeux brillants. Dites-moi.

— C'était... eh bien... je crois que je ne peux pas.

— Essayez, l'encouragea-t-il.

— C'était comme sur les montagnes russes, quand on arrive tout en haut de la première bosse et qu'on commence à redescendre. Mon estomac est remonté... » Elle eut un rire tremblant, sans cesser de fixer la cause de son malaise. « *Tout* est remonté !

— J'ai essayé avec Bill, dit Scott en désignant d'un signe de tête le chat étendu sur la cheminée de briques. Il a pété les plombs. Il m'a lacéré le bras, tant il avait hâte que je le lâche, alors qu'il ne griffe jamais.

— Tout ce que vous touchez perd son poids ? demanda Deirdre. C'est vraiment ça ? »

Scott médita la question, comme il l'avait souvent fait. Parfois, il lui semblait que son état n'avait rien de phénoménal mais était dû à une bactérie ou à un virus.

« Les êtres vivants perdent leur poids. Du moins de leur point de vue, mais...

— Ils le gardent du vôtre.

— Oui.

— Et le reste ? Les objets inanimés ?

— Une fois que je les ramasse ou les enfile, non. Pas de poids. » Il haussa les épaules.

« Comment est-ce possible ? demanda Myra. Comment une chose pareille est-elle possible ? » Elle se tourna vers son mari. « Tu le sais ? »

Il secoua la tête. « À ma connaissance, ça n'est encore jamais arrivé.

— Comment est-ce que ça a commencé ? demanda Deirdre. Quelle est la cause ?

— Aucune idée. Je ne sais même pas *quand* ça a commencé, parce que je n'ai pris l'habitude de me peser qu'après le début du processus.

— Dans la cuisine, vous disiez que ce serait dangereux.

— Je disais que ça le serait peut-être. Je n'en sais rien, en fait, mais cette absence de poids soudaine pourrait affecter le cœur... la pression artérielle... les fonctions cérébrales... Dieu sait quoi d'autre.

— Les astronautes sont en apesanteur, objecta Missy. Quasi dépourvus de poids. J'imagine que ceux qui font le tour de la terre sont encore sujets à un peu d'attraction gravitationnelle. Et ceux qui ont marché sur la lune aussi.

— Il n'y a pas que ça, n'est-ce pas ? fit Deirdre. Vous avez peur que ce soit contagieux. »

Scott hocha la tête. « L'idée m'a traversé. »

Il y eut un moment de silence, durant lequel ils tentèrent tous de digérer l'indigérable, puis Missy déclara : « Vous devez aller dans une clinique ! Vous faire examiner ! Laisser les médecins qui... qui connaissent ce genre de chose... »

Elle laissa sa phrase en suspens quand l'évidence s'imposa à elle : *aucun* médecin ne connaissait ce genre de chose.

« Ils trouveraient peut-être un moyen d'inverser le processus, reprit-elle enfin, avant de se tourner vers Ellis. Vous êtes médecin, vous. Dites-le-lui !

— Je le lui ai déjà dit, répondit le docteur Bob. Bien des fois. Scott refuse. Au début, je lui donnais tort, je pensais qu'il faisait sa mauvaise tête, mais j'ai changé d'avis. Je doute que ce dont il souffre puisse s'étudier de manière scientifique. Il est possible que ça s'arrête tout seul... voire que ça s'inverse... mais je crois que les meilleurs médecins du monde seraient incapables de comprendre cet état, sans parler de l'affecter d'une manière quelconque, positive ou négative.

— Et je n'ai aucune envie de passer le reste de mon régime amaigrissant dans une chambre d'hôpital ou un établissement gouvernemental, à me faire piquer et sonder, dit Scott.

— Ni dans un rôle de bête curieuse, je suppose, dit Deirdre. Je comprends ça. Parfaitement. »

Il hocha la tête. « Donc vous comprendrez que je vous fasse promettre de ne répéter à personne ce qui s'est dit dans cette pièce.

— Mais qu'est-ce qui va vous arriver ? s'exclama Missy. Qu'est-ce qui vous arrivera quand vous n'aurez plus de poids du tout ?

— Je ne sais pas.

— Comment vivrez-vous ? Vous ne pourrez pas... passer tout votre temps... » Elle roula autour d'elle des yeux hallucinés, comme si elle espérait que quelqu'un achève sa pensée. Nul ne le fit.

« Vous ne pourrez pas passer tout votre temps à flotter au plafond ! »

Scott, qui avait déjà envisagé pareille vie, haussa à nouveau les épaules.

Myra Ellis se pencha en avant, les poings serrés au point de faire blanchir ses articulations. « Tu as très peur, j'imagine ?

— Eh non, c'est bien le problème, répondit-il. J'ai eu peur au tout début, mais maintenant... je ne sais pas... ça m'a l'air acceptable. »

Deirdre avait les yeux emplis de larmes, mais elle souriait. « Je crois que je comprends ça aussi, dit-elle.

— Oui, acquiesça-t-il. Je crois que vous comprenez. »

Selon lui, si l'un d'eux s'avérait incapable de garder son secret, ce serait Myra Ellis, avec ses comités et ses groupes paroissiaux. Elle le garda pourtant. Ils le gardèrent tous. Ils en vinrent à former une sorte de club se réunissant une fois par semaine au *Holy Frijole*, où leur table était toujours réservée, avec son panonceau *Groupe du docteur Ellis*. Le restaurant faisait le plein tous les soirs ou presque et, d'après Deirdre, si les affaires ne ralentissaient pas après le Nouvel An, elles devraient ouvrir plus tôt et instaurer un deuxième service. Missy avait bel et bien engagé une sous-cheffe pour l'aider à la cuisine et, sur les conseils de Scott, choisi une autochtone : la fille aînée de Milly Jacobs.

« Elle est un peu lente, déclara ensuite Missy, mais elle a envie d'apprendre et, d'ici à ce que les estivants reviennent, elle sera au point. Tu verras. »

Puis elle rougit et baissa les yeux sur ses mains, réalisant que Scott ne serait peut-être plus là quand les estivants reviendraient.

Le 10 décembre, Deirdre McComb alluma le grand sapin de Noël sur la place de Castle Rock. Près de mille personnes assistèrent à la cérémonie du soir, dont la chorale du lycée qui interpréta des chants de saison. Coughlin, le maire, déguisé en père Noël, arriva en hélicoptère.

Il y eut des applaudissements quand Deirdre monta sur le podium, un rugissement approbateur quand elle proclama le conifère de dix mètres « plus beau sapin de Noël de la plus belle ville de Nouvelle-Angleterre ».

Les lumières s'allumèrent, l'ange au néon fixé à la cime de l'arbre se mit à tournoyer, à exécuter des révérences, et la foule chanta avec les lycéens : *Mon beau sapin, roi des forêts, que j'aime ta ramure*… Scott s'amusa de voir Trevor Yount chanter et applaudir avec les autres.

Ce jour-là, Scott Carey pesait cinquante-deux kilos.

6

Une incroyable sensation de légèreté

Il y avait des limites à ce qu'il en était venu à appeler « l'effet apesanteur ». Ses vêtements ne flottaient pas autour de son corps. Les chaises ne lévitaient pas quand il s'y asseyait, mais, lorsqu'il en soulevait une avant de monter sur la balance de la salle de bains, son poids n'était pas pris en compte. Si des lois régissaient le phénomène, il ne les comprenait pas et s'en moquait un peu. Il restait optimiste et dormait bien la nuit, voilà tout ce qui comptait.

Le 1er janvier, il appela Mike Badalamente, lui adressa les vœux appropriés, puis lui apprit qu'il prévoyait un voyage en Californie quelques semaines plus tard, pour rendre visite à son unique tante encore vivante. S'il s'y décidait, Mike accepterait-il de garder son chat ?

« Je ne sais pas, répondit le libraire. Peut-être. Il fait ses besoins dans une litière ?

— Absolument.

— Pourquoi moi ?

— Parce que toutes les librairies devraient avoir un chat à résidence, et que tu n'en as pas.

— Combien de temps comptes-tu rester parti ?

— Je ne sais pas. Ça dépendra de la santé de tante Harriet. » Il n'y avait bien sûr pas de tante Harriet, et il devrait demander au docteur Bob ou à Myra de déposer le chat chez Mike. Deirdre et Missy sentaient toutes les deux le chien à plein nez, et Scott ne pouvait plus même caresser son vieil ami : Bill s'enfuyait dès qu'il l'approchait.

« Qu'est-ce qu'il mange ?

— Des Friskies. Et il sera accompagné d'une bonne réserve. *Si* je décide de partir, bien sûr.

— Très bien, c'est d'accord.

— Merci, Mike. Tu es un ami.

— Oui, et pas seulement à cause de ça. Tu as rendu à cette ville un service petit mais précieux en aidant la McComb à se relever pour qu'elle termine la course. Ce qui leur arrivait, à elle et à sa femme, n'était pas très joli. Ça va mieux maintenant.

— Un peu mieux.

— Beaucoup mieux.

— Bon, merci. Et encore bonne année.

— Toi aussi, mon pote. Comment s'appelle le félin ?

— Bill. Bill le Chat, en fait.

— Comme dans *Bloom County*[1]. Sympa.

— Prends-le dans tes bras de temps en temps pour le caresser. Si je décide de partir, donc. Il aime ça. »

Scott raccrocha en songeant à ce que signifiait un don – notamment quand son objet était un ami précieux –, et il ferma les yeux.

Le docteur Bob appela quelques jours plus tard pour lui demander si sa perte de poids demeurait constante, entre cinq cents grammes et un kilo par jour. Scott répondit que oui, sachant le mensonge indétectable : de l'extérieur, il restait inchangé,

1. Bande dessinée de Berkeley Breathed, non traduite en français. Le nom original du chat est Bill D. Cat.

jusqu'au bourrelet de ventre qui pendait par-dessus sa ceinture.

« Alors tu crois toujours arriver à zéro début mars ?

— Oui. »

Il estimait en fait que le Jour Zéro pourrait survenir avant la fin janvier, mais il ne le savait pas avec certitude et ne pouvait formuler aucune hypothèse valable, car il avait cessé de se peser. Il n'y avait pas si longtemps, il évitait la balance parce qu'elle affichait trop de kilos ; à présent, il l'évitait pour la raison opposée. L'ironie ne lui échappait pas.

Pour le moment, Bob et Myra Ellis ne devaient pas connaître l'accélération du phénomène, pas plus que Missy et Deirdre. Il serait toutefois contraint de les en informer un jour, car, quand viendrait la fin, l'aide d'un des quatre lui serait nécessaire. Et il savait duquel.

« Combien pèses-tu à présent ? demanda le docteur Bob.

— Quarante-huit.

— Nom de Dieu ! »

Selon Scott, Ellis aurait dit bien pire s'il avait su la vérité : à peine plus de trente-deux kilos. Il pouvait traverser son grand salon en quatre enjambées légères, ou bien se pendre à une poutre et s'y balancer comme Tarzan. Il n'avait pas atteint le poids qu'il pèserait sur la lune, mais il s'en approchait.

Le docteur Bob resta silencieux un moment, puis demanda : « As-tu songé que la cause du problème pourrait être vivante ?

— Bien sûr. Une bactérie exotique qui se serait glissée dans une coupure, ou bien un virus extrêmement rare que j'aurais inhalé.

— T'a-t-il traversé l'esprit que cette cause pourrait aussi être douée de conscience ? »

Ce fut au tour de Scott de rester silencieux. Enfin, il répondit : « Oui.

— Tu réagis extrêmement bien, je dois dire.

— Jusqu'ici, ça va. »

Trois jours plus tard, il découvrit par quoi il lui faudrait en passer avant que n'arrive la fin. On croit savoir, on croit pouvoir se préparer… et puis on essaie d'aller chercher son courrier.

L'ouest du Maine connaissait un dégel précoce depuis le Jour de l'An, avec des températures entre dix et quinze degrés. Deux jours après le coup de téléphone du docteur Bob, elles montèrent encore, et les enfants remirent leurs blousons légers pour aller à l'école. La nuit suivante, toutefois, elles s'effondrèrent : une neige fondue granuleuse se mit à tomber.

Scott s'en aperçut à peine. Il occupa la soirée à passer des commandes sur son ordinateur. Il aurait pu trouver tout ce dont il avait besoin à Castle Rock – le fauteuil roulant et le harnais au rayon matériel médical du CVS où il avait acheté ses bonbons d'Halloween, la rampe et les poignées à la Quincaillerie Purdy – mais les gens du coin avaient tendance à parler. Et à poser des questions. Scott préférait éviter cela.

Il cessa de neiger vers minuit, et le lendemain connut une aube claire et froide. La neige givrée sur le dessus formait une croûte éblouissante, presque trop pour qu'on la regarde. On eût dit la pelouse et l'allée couvertes de plastique transparent. Scott enfila sa parka et sortit chercher le courrier. Il avait désormais l'habitude d'ignorer les marches et de sauter dans l'allée. Ses jambes, bien trop musclées pour son poids, semblaient avoir besoin de cette explosion d'énergie.

Il ne dérogea donc pas à la règle. Or, quand ils touchèrent la croûte gelée, ses pieds se dérobèrent sous lui. Il atterrit sur les fesses, éclata de rire, mais redevint sérieux quand il commença à glisser – à dévaler sur le dos la pelouse pentue en direction de la route, comme une boule file sur une piste de bowling semée de sciure, et de plus en plus vite. L'arbuste qu'il voulut empoigner se révéla couvert de glace et lui échappa. Scott roula sur le ventre et écarta les jambes, croyant ainsi se ralentir. Il ne parvint qu'à pivoter d'un quart de tour, si bien qu'il glissa ensuite sur le flanc.

La croûte est épaisse mais pas tant que ça, songea-t-il. Si je pesais aussi lourd que j'en ai l'air, je la percerais et m'arrêterais. Mais ce n'est pas le cas : je vais me retrouver sur la route. Si une voiture passe, elle ne pourra pas s'arrêter à temps, et je n'aurai plus à m'en faire pour le Jour Zéro.

Scott n'alla pas si loin : il percuta le poteau qui soutenait sa boîte aux lettres, assez fort pour en avoir le souffle coupé. Une fois qu'il eut récupéré, il tenta de se relever, dérapa sur la croûte glissante et retomba. Il posa alors les pieds contre le poteau et poussa, mais cette méthode ne fonctionna pas non plus : après s'être redressé de soixante ou quatre-vingts centimètres, il arriva au bout de son élan et repartit en arrière. En désespoir de cause, il voulut remonter la pente à quatre pattes, mais ses doigts glissaient sur la neige givrée. En outre, il avait oublié ses gants et ses mains commençaient à s'engourdir.

J'ai besoin d'aide, songea-t-il, et le nom qui se forma aussitôt dans son esprit fut celui de Deirdre. Il se fouilla et découvrit que, pour une fois, il avait laissé son téléphone sur son bureau. Sans doute pourrait-il, en poussant de-ci de-là, arriver jusqu'à la rue, se poster au bord du trottoir et héler un conducteur. On s'arrêterait, on l'aiderait, mais on poserait des questions auxquelles il n'avait pas envie de répondre. L'allée était encore plus désespérante que la pelouse : on aurait dit une patinoire.

Donc, me voici comme une tortue sur le dos, songea-t-il. Les mains qui s'engourdissent, les pieds qui ne tarderont pas à en faire autant.

Il se tordit le cou pour regarder les arbres nus dont les branches s'agitaient doucement contre le ciel bleu sans nuages. Quand ses yeux se posèrent sur la boîte aux lettres, il aperçut une solution possible à son problème tragi-comique. Assis, l'entrejambe calé contre le poteau, il empoigna l'indicateur rouge fixé sur le côté de la boîte. Les rivets qui le maintenaient étaient fragiles : deux tractions puissantes suffirent à les arracher. Scott se servit de la languette de métal pour creuser deux trous dans la neige. Dans l'un, il inséra le genou, dans l'autre le pied, et il se remit debout, serrant le poteau de sa main libre pour se stabiliser. Ainsi remonta-t-il la pelouse jusqu'aux marches, se penchant pour percer la croûte de glace, avançant d'un pas, puis recommençant.

Plusieurs voitures passèrent, quelqu'un klaxonna. Scott leva la main et l'agita sans se retourner. Quand il atteignit enfin le perron, il avait perdu toute sensation dans les mains, alors même que l'une portait deux écorchures, et son dos lui faisait un mal de chien. Comme il commençait à monter les degrés, il glissa et ne parvint que de justesse à empoigner la rampe de fer gelée pour éviter de repartir vers la boîte aux lettres. Il n'était pas sûr d'avoir la force de remonter encore, même avec les trous où mettre les pieds. Épuisé, couvert d'une transpiration puante sous sa parka, il s'étendit dans le hall d'entrée. Bill s'approcha – pas trop – et poussa un miaulement inquiet.

« Je vais bien, dit Scott. Ne t'en fais pas, tu ne vas pas sauter de repas. »

Oui, je vais bien, songea-t-il. Ce n'était qu'une petite glissade impromptue sur la glace. Mais c'était aussi la première des vraies conneries.

Il pouvait sans doute se consoler en se disant que les vraies conneries ne dureraient pas longtemps.

Mais il faut que je pose le plus vite possible les poignées et la rampe. Je n'ai plus beaucoup de temps, maintenant.

Un lundi soir de la mi-janvier, les membres du « Groupe du docteur Ellis » dînèrent ensemble pour la dernière fois. Scott n'avait vu personne depuis une semaine, prétextant le besoin de rester concentré pour achever son projet destiné aux grands magasins. Ce qui était en réalité chose faite depuis Noël, au moins dans les grandes lignes. Quelqu'un d'autre se chargerait des finitions.

Pour le repas, il avait prévenu : on ferait auberge espagnole, chacun apportant un plat, car cuisiner lui était devenu difficile. En vérité, tout lui était devenu difficile. Monter au premier étage posait peu de problème : trois grands sauts y pourvoyaient sans effort. Descendre était plus dur. Ayant peur de tomber et de se casser une jambe, Scott se tenait à la rampe et descendait marche par marche, tel un vieillard goutteux aux hanches fragiles. Il avait aussi acquis une tendance à se cogner aux murs, car il avait peine à estimer son élan, encore plus à le contrôler.

Myra s'informa de la rampe qui couvrait les marches du perron. Le docteur Bob et Missy s'inquiétaient plus du fauteuil roulant posé dans l'angle du salon et du harnais de poitrine – conçu pour des malades incapables de rester assis droit – drapé sur le dossier. Deirdre ne posa pas de questions, se contentant de le fixer de ses yeux tristes et avisés.

Ils mangèrent une délicieuse cassolette végétarienne (Missy), un gratin de pommes de terre en sauce au fromage (Myra), et terminèrent par une génoise informe mais savoureuse, à peine brûlée sur le fond (docteur Bob). Le vin était bon, les conversations et les rires encore meilleurs, et Scott les but avidement.

Après le repas, il déclara : « Il est temps que je passe aux aveux. Je vous ai menti. Le processus a été un peu plus rapide que je ne vous l'ai dit.

— Scott, non ! » s'écria Missy.

Bob Ellis hocha la tête sans surprise apparente. « Plus rapide à quel point ?

— Un kilo et demi par jour, pas cinq à huit cents grammes.

— Et combien pèses-tu à présent ?

— Je ne sais pas. J'évite la balance ces derniers temps. Voyons ça. »

Scott voulut se lever. Ses cuisses heurtèrent la table et il s'envola, renversant deux verres quand il leva les mains pour se retenir. Deirdre empoigna un coin de la nappe et le jeta sur le vin répandu.

« Pardon, pardon, fit Scott. Je ne connais pas ma force, en ce moment. »

Pivotant aussi prudemment que s'il était en patins à roulettes, il se dirigea vers l'arrière de la maison. Même s'il s'efforçait de marcher lentement, le moindre de ses pas devenait un bond. Le poids qui lui restait voulait le garder sur la Terre ; ses muscles insistaient pour la lui faire quitter. Déséquilibré, il attrapa une des poignées récemment fixées pour ne pas s'étaler de tout son long dans le couloir.

« Oh, merde, s'exclama Deirdre. C'est comme réapprendre à marcher. »

J'aurais voulu que tu me voies la dernière fois que j'ai voulu aller chercher mon courrier, songea Scott. Ça, c'était de l'apprentissage.

À tout le moins, aucun de ses invités ne lui parlait plus de clinique. Ce qui ne le surprenait pas. Un seul coup d'œil à sa démarche maladroite et ridicule quoique étrangement gracieuse suffisait à convaincre que la médecine ne pouvait rien pour lui. C'était une affaire privée à présent, tous le comprenaient, et il en était heureux.

Ils s'entassèrent dans la salle de bains pour le voir monter sur la balance Ozeri. « Mon Dieu, fit doucement Missy. Oh, Scott ! »

L'appareil annonçait treize kilos sept cents.

Suivi des autres, Scott regagna la salle à manger. Alors qu'il se déplaçait aussi prudemment que s'il traversait un ruisseau en marchant sur des pierres, il finit tout de même par percuter encore la table. Missy tendit d'instinct les bras pour le stabiliser, mais, avant qu'elle ne pût le toucher, il lui fit signe que ce n'était pas la peine.

Quand tous furent assis, il déclara : « Ça ne m'ennuie pas. Pas du tout, en fait. Vraiment. »

Myra était très pâle. « Comment est-ce possible ?

— Je ne sais pas. C'est comme ça, c'est tout. Mais ceci était notre dîner d'adieu. Je ne vous reverrai plus. Sauf Deirdre. J'aurai besoin de quelqu'un pour m'aider à la fin. Tu veux bien ?

— Oui, bien sûr. » Elle n'avait pas hésité, se contentant d'entourer d'un bras sa femme qui s'était mise à pleurer.

« Je voudrais juste dire... » Scott s'interrompit pour s'éclaircir la voix. « Je voudrais juste dire que j'aimerais passer plus de temps avec vous. Vous avez été de bons amis.

— Il n'y a pas de compliment plus sincère que celui-là, dit le docteur Bob, en s'essuyant les yeux avec une serviette.

— Ce n'est pas juste ! s'exclama Missy. Ce n'est pas juste, merde !

— Ma foi non, acquiesça Scott. Mais je ne laisse pas d'enfants, mon ex est heureuse là où elle est, et voilà. C'est mieux que de mourir du cancer, d'Alzheimer ou grand brûlé dans un hôpital. J'imagine que je passerais à la postérité, si quelqu'un en parlait.

— Ce qui n'arrivera pas, dit le docteur Bob.

— Non, acquiesça Deirdre. Personne n'en parlera. Peux-tu me dire pour quoi tu auras besoin de moi, Scott ? »

Il le pouvait et le fit, n'omettant de mentionner que ce qui était rangé dans un sac en papier au fond du placard de l'entrée. Tous l'écoutèrent en silence. Nul ne discuta.

Quand il se tut, Myra demanda très timidement : « Qu'est-ce que ça fait, Scott ? Qu'est-ce que tu ressens ? »

Il songea à la manière dont il avait dévalé Hunter's Hill, à celle dont le monde entier lui avait été révélé quand il avait trouvé son deuxième souffle, dans la gloire habituellement cachée des choses ordinaires – le ciel bas chargé, les banderoles claquant sur les façades du centre-ville, chaque précieux galet, mégot et bouteille de bière jetés au bord de la route. Son propre corps qui fonctionnait pour une fois à plein régime, toutes ses cellules chargées d'oxygène.

« Je me sens élevé », dit-il enfin.

Il regarda Deirdre McComb, vit ses yeux brillants fixés sur lui, et sut qu'elle comprenait pourquoi il l'avait choisie.

Myra fit entrer Bill dans sa caisse de transport, que le docteur porta à l'arrière de sa 4Runner, puis les quatre invités restèrent plantés sous la véranda, leur souffle formant des plumes blanches dans l'air froid de la nuit. Scott, sur le seuil, s'accrochait fermement à une poignée.

« Puis-je dire quelque chose avant que nous ne partions ? demanda Myra.

— Bien sûr », dit-il. Il aurait cependant préféré qu'elle s'abstienne. Il aurait préféré que tous s'en aillent sans rien dire, estimant avoir découvert à son corps défendant une des plus grandes vérités de la vie : la seule chose qui fût plus dure que de se dire adieu kilo par kilo était de dire adieu à ses amis.

« J'ai été très bête. Je suis désolée de ce qui t'arrive, Scott, mais je me réjouis de ce qui m'arrive à moi. Sans cela, je serais restée fermée à de très bonnes choses et à de très bonnes personnes comme une vieille femme stupide. Je ne peux pas te prendre dans mes bras, donc, il faudra que ceci fasse l'affaire. »

Elle attira contre elle Deirdre et Missy, qui la serrèrent en retour.

« Je respecterai ton vœu, Scott, dit le docteur Bob, mais, si tu as besoin de moi, j'arriverai en courant. » Il éclata de rire. « Bon, non, je ne suis plus capable de courir, mais tu vois ce que je veux dire.

— Oui, dit Scott. Merci.

— Salut, vieux, et ne pose pas les pieds n'importe où. Ni n'importe comment. »

Scott les regarda marcher jusqu'à la voiture de Bob. Il les regarda y monter. Prenant soin de ne pas lâcher la poignée, il agita la main puis ferma sa porte et gagna la cuisine, mi-marchant mi-sautant, à la manière d'un personnage de dessin animé. Ce qui était au fond la raison pour laquelle garder le secret lui semblait si important. Il était sûr d'avoir l'air ridicule, et il l'était bel et bien... mais seulement de l'extérieur.

Assis devant le plan de travail, il contempla l'angle désert ayant accueilli pendant sept ans les gamelles de croquettes et d'eau de Bill. Il le fixa un long moment. Ensuite, il monta se coucher.

Le lendemain, il reçut un email de Missy Donaldson.

J'ai dit à DeeDee que je voulais l'accompagner, être là à la fin. On s'est bien accrochées sur le sujet. Je n'ai pas abandonné le combat avant qu'elle ne me rappelle mon pied, et ce qu'il m'inspirait quand j'étais petite. Je peux courir à présent – j'adore ça –, mais je n'ai jamais fait de compétition, comme elle, parce que je ne suis bonne que sur courte distance, même après toutes ces années. Je suis née avec un talipes equinovarus, *vois-tu, ce qu'on appelle vulgairement un pied-bot. J'avais sept ans quand une opération a arrangé ça et, jusque-là, je m'étais déplacée avec une canne. Il m'a fallu des années pour apprendre à marcher normalement.*

À quatre ans – je m'en souviens très bien –, j'ai montré mon pied à ma copine Felicity. Elle a éclaté de rire, et elle a dit que c'était un vilain pied tout dégueu. Ensuite, je n'ai plus jamais laissé personne le voir, à part ma mère et les docteurs. Je ne voulais pas qu'on rie. Selon DeeDee, c'est ce que t'inspire ton état. Elle dit : « Il veut que tu te souviennes de lui comme il était avant, pas en train de rebondir contre ses murs façon mauvais effet spécial pour film de SF des années 1950. »

À ce moment-là, j'ai compris, mais ça ne veut pas dire que ça me plaît, ni que tu mérites ça.

Scott, ce que tu as fait le jour de la course nous a permis de rester à Castle Rock, pas seulement parce qu'on y tient un restaurant, mais parce qu'on peut vraiment s'impliquer dans la vie de la commune à présent. DeeDee pense qu'elle va être invitée à se joindre aux Jaycees[1]*. Ça la fait rire, elle dit que c'est idiot, mais je sais qu'au fond, elle ne trouve pas ça idiot du tout ; c'est un trophée, comme ceux qu'elle a gagnés en courant. Oh, tout le monde ne nous acceptera pas, je ne suis pas bête (ni naïve) au point de croire le contraire, certaines personnes ne changeront jamais, mais la plupart, si. C'est déjà le cas de beaucoup. Sans toi, cela ne serait jamais arrivé, et, sans toi, ma bien-aimée serait restée en partie fermée au monde. Elle ne te le dira pas,*

---

1. Nom usuel de la *United States Junior Chamber*, une organisation promouvant la formation à la gestion d'entreprise et le développement personnel par le travail civique.

mais, moi, je te le dis : tu lui as ôté son fardeau de rancœur, il était très lourd, et elle peut à nouveau marcher droit. Elle a toujours été susceptible, et je ne m'attends pas à ce que ça change, mais elle est ouverte désormais. Elle voit plus de choses, elle entend plus de choses, elle peut être plus de choses. Tu as rendu cela possible. Tu l'as aidée à se relever quand elle est tombée.

Elle dit qu'elle devra t'aider à la fin parce qu'il y a un lien entre vous, un sentiment partagé. Suis-je jalouse ? Un peu, mais je crois saisir. C'est quand tu as dit que tu te sentais élevé. Elle est comme ça quand elle court. C'*est* pour ça *qu'elle court.*

Sois brave, Scott, s'il te plaît, et sache que je pense à toi. Dieu te bénisse.

Toute mon affection,
Missy

PS : Quand nous allons à la librairie, nous ne manquons pas de caresser Bill. Je pense que tu lui manques.

Scott songea à l'appeler pour la remercier de ces gentillesses, puis estima que c'était une mauvaise idée : cela risquerait de les bouleverser tous les deux. Il se contenta donc d'imprimer le message et de le glisser dans une des poches du harnais.

Il l'emporterait avec lui quand il partirait.

Le dimanche matin suivant, Scott traversa le hall pour gagner la salle de bains du rez-de-chaussée en une suite de ce qui n'était plus des pas mais de longs flottements jusqu'au plafond, sur lequel il prenait appui de ses doigts tendus pour redescendre. Quand la chaudière se mit en route, le doux flux sortant d'une bouche grillagée le fit dériver sur le côté. Il se tortilla pour s'emparer d'une poignée grâce à laquelle il franchit le courant d'air.

Dans la salle de bains, il lévita au-dessus de la balance jusqu'à s'y poser lentement. Il crut d'abord qu'elle n'allait lui fournir aucune mesure, mais elle finit par cracher un chiffre : 1. C'était à peu près ce qu'il attendait.

Le soir, il appela Deirdre sur son portable. Il resta simple. « J'ai besoin de toi. Tu peux venir ?

— Oui. » Ce fut tout ce qu'elle dit, mais il n'était pas nécessaire d'en dire plus.

La porte d'entrée était fermée mais non verrouillée. Deirdre se glissa dans la maison sans ouvrir en grand, à cause du courant d'air. Elle alluma la lumière du couloir pour chasser les ombres, puis passa au salon. Scott occupait le fauteuil roulant. Parvenu à enfiler en partie le harnais accroché au dossier, il n'en flottait pas moins au-dessus du siège et il avait un bras en l'air. Son visage luisait de la même sueur qui obscurcissait le plastron de sa chemise.

« J'ai presque trop attendu, expliqua-t-il, comme hors d'haleine. Il m'a fallu nager pour rejoindre le fauteuil. La brasse, tu me crois si tu veux. »

Deirdre le croyait sans peine. Elle se posta devant lui et le considéra avec étonnement. « Depuis combien de temps es-tu comme ça ?

— Un moment. Je voulais attendre la nuit. Est-ce qu'il fait nuit ?

— Presque. » Elle tomba à genoux. « Oh, Scott, c'est vraiment terrible. »

Il secoua la tête au ralenti, comme s'il se trouvait sous l'eau. « Tu sais bien que non. »

Elle pensait le savoir. Elle espérait le savoir.

Au prix d'un grand effort, il parvint enfin à passer son bras flottant dans le trou du harnais. « Peux-tu essayer de boucler les sangles autour de ma poitrine et de ma taille sans me toucher ?

— Je crois », dit Deirdre, mais ses mains le frôlèrent à deux reprises alors qu'elle était à genoux devant le fauteuil – le flanc puis l'épaule – et, les deux fois, elle sentit son corps s'élever avant de retomber. À chaque contact, son estomac eut un sursaut, ce que son père appelait naguère un « houla-ma-chère » quand leur voiture franchissait un sommet de côte escarpé. Ou bien, oui – Missy avait raison –, comme ce qu'on ressent quand le wagonnet des montagnes russes atteint la première crête, hésite, puis plonge.

Enfin, ce fut terminé. « Et maintenant ?

— Bientôt, on va aller prendre l'air. Mais, d'abord, va dans le placard, celui de l'entrée, où je range mes bottes. Il y a un sac en papier et un rouleau de corde. Tu devrais pouvoir pousser le fauteuil roulant, mais, si tu n'y arrives pas, il te faudra nouer la corde à l'appuie-tête et le tirer.

— Tu es bien sûr de vouloir faire ça ? »

Il hocha la tête en souriant. « Tu crois que j'ai envie de passer le reste de ma vie attaché à ce machin ? Ou qu'il faille grimper à une échelle pour me nourrir ?

— Ça ferait une super vidéo pour YouTube.

— Personne n'y croirait. »

Deirdre trouva la corde et le sac en papier brun et les emporta au salon. Scott tendit les mains. « Allez, ma grande, voyons tes talents. Lance-moi le sac de là-bas. »

Elle le fit et ce fut un lancer adroit. Le sac décrivit un arc de cercle en direction des mains ouvertes... s'arrêta moins de trois centimètres au-dessus... puis s'y posa lentement. Là, il parut gagner du poids, et Deirdre se rappela ce qu'avait précisé Scott : les objets avaient du poids *pour lui*. Était-ce un paradoxe ? Cela donnait la migraine, quoi que ce fût, et la jeune femme n'avait pas le temps d'y réfléchir. Scott déchira le sac pour révéler un objet carré enveloppé dans un épais papier décoré d'étoiles. Une languette rouge d'environ quinze centimètres de long s'y attachait.

« Ça s'appelle Illumination céleste. Cent cinquante dollars chez Fireworks Factory à Oxford. J'ai commandé ça sur Internet. J'espère que j'en aurai pour mon argent.

— Comment vas-tu l'allumer ? Comment pourras-tu, quand... quand tu...

— Je ne sais pas si j'y arriverai, mais j'ai confiance. C'est une mèche à gratter.

— Est-ce que je dois vraiment faire ça, Scott ?

— Oui, répondit-il.

— Tu veux partir.

— Oui, dit-il. Il est temps.

— Il fait froid dehors et tu es en sueur.

— Ça n'a pas d'importance. »

Ça en avait pour elle. Elle monta jusqu'à la chambre et retira la couette d'un lit dans lequel on avait dormi – à une certaine époque, en tout cas –, mais qui ne conservait aucune impression d'un corps sur le matelas ni d'une tête sur l'oreiller.

« Couette, pouffa-t-elle. Couette-couette. » Le nom semblait tout à fait stupide dans les circonstances. Elle descendit toutefois l'édredon puis le lança comme elle avait lancé le sac en papier, le regardant avec la même fascination marquer une pause puis s'épanouir... avant de se poser sur la poitrine et les jambes de Scott.

« Enveloppe-toi là-dedans.

— Bien, m'dame. »

Elle le regarda faire, puis lui glissa sous les pieds le bout de couette qui traînait par terre. Cette fois, l'effet fut plus marqué, avec des « houla-ma-chère » doubles et non simples. Les genoux de Deirdre se soulevèrent du sol, tandis qu'elle sentait ses cheveux se mettre à flotter. Puis ce fut terminé. Quand elle retomba sur le parquet, la jeune femme comprenait mieux pourquoi Scott pouvait sourire. Elle se rappela une phrase lue à l'université – de Faulkner, peut-être : *La gravité est l'ancre qui nous entraîne au fond de la tombe*. Il n'y aurait pas de tombe pour cet homme, et plus de gravité non plus. Il avait reçu une dispense spéciale.

« Et voilà ! Comme un coq en pâte ! fit-il.

— Ne plaisante pas, Scott. S'il te plaît. »

Deirdre passa derrière le fauteuil roulant et posa des mains prudentes sur les poignées : elle conserva son poids. La corde étant inutile, elle poussa donc Scott vers la porte, puis sur le perron et en bas de la rampe.

La nuit froide réfrigérait la sueur sur son visage, mais l'air était aussi doux et frais que la première bouchée d'une pomme d'automne. Au-dessus de lui brillaient une demi-lune et ce qui évoquait un trillion d'étoiles.

Pour contrebalancer le trillion de galets, tout aussi mystérieux, sur lequel nous marchons tous les jours, songea Scott. Mystère au-dessus, mystère en dessous. Poids, masse, réalité : mystères que tout cela.

« Ne pleure pas, dit-il. Ce n'est pas un enterrement, bordel. »

Deirdre le poussa sur la pelouse enneigée. Les roues du fauteuil s'enfoncèrent sur vingt centimètres et se bloquèrent. Pas très loin de la maison, mais assez pour éviter d'être pris sous l'avant-toit. Ça, ce serait une fin en queue de poisson, songea-t-il en éclatant de rire.

« Qu'est-ce qu'il y a de drôle, Scott ?

— Rien, répondit-il. Tout.

— Regarde là-bas. Dans la rue. »

Il aperçut trois silhouettes emmitouflées, chacune munie d'une torche électrique : Missy, Myra et le docteur Bob ?

« Je n'ai pas pu les empêcher de venir. » Deirdre contourna le fauteuil roulant et mit un genou à terre devant l'invalide bien emballé, aux yeux étincelants et aux cheveux agglomérés par la sueur.

« Tu as essayé ? Ne mens pas, DeeDee. » C'était la première fois qu'il l'appelait ainsi.

« Ma foi... pas très fort. »

Il hocha la tête et sourit. « Bonne discussion. »

Elle éclata de rire puis s'essuya les yeux. « Tu es prêt ?

— Oui. Tu peux m'aider à défaire les boucles ? »

Dès qu'elle fut venue à bout des deux qui maintenaient le harnais au dossier du fauteuil, Scott se souleva, encore retenu par la sangle qui lui entourait la taille. Pour celle-là, plus serrée, la jeune femme dut forcer, et ses mains s'engourdissaient dans le froid de janvier. Elle ne cessait de frôler Scott et, chaque fois, son corps perdait le contact avec le sol enneigé, si bien qu'elle avait l'impression d'être un bâton sauteur humain. Elle persista pourtant et, enfin, le dernier lien qui retenait son compagnon au fauteuil commença à se détendre.

« Je t'aime, Scott, dit-elle. On t'aime tous.

— Pareil pour moi, assura-t-il. Fais un gros bisou de ma part à ta chère et tendre.

— Deux », promit-elle.

Puis la sangle glissa hors de la boucle et ce fut terminé.

Tandis qu'il se soulevait lentement du fauteuil, la couette lui fit comme une longue jupe, si bien qu'il s'identifia absurdement à Mary Poppins, le parapluie en moins. Puis, poussé par la brise, il commença à s'élever plus vite. Serrant l'édredon d'une main, l'Illumination céleste de l'autre, il vit rapetisser le visage levé de Deirdre. Il vit la jeune femme agiter la main mais, les siennes étant prises, il ne put lui rendre la pareille. Il vit les autres agiter la leur, sur View Drive, il vit leurs torches fixées sur lui et remarqua ainsi que tous trois serraient les rangs à mesure qu'il prenait de l'altitude.

La brise qui s'efforçait de le retourner lui rappelait comment il avait glissé sur le flanc lors de sa ridicule descente de la pelouse gelée vers la boîte aux lettres. Il parvint à se stabiliser en dépliant partiellement la couette pour la tenir face au vent. Cela ne durerait peut-être pas longtemps, mais c'était sans importance : il voulait simplement baisser les yeux et voir ses amis – Deirdre sur la pelouse, près du fauteuil roulant, les autres dans la rue. Quand il passa devant la fenêtre de sa chambre, il constata que la lampe, encore allumée, barrait son lit de jaune. Il aperçut sur son bureau des objets – une montre, un peigne, une petite liasse de billets – qu'il ne toucherait plus jamais. Plus haut encore, le clair de lune s'avéra assez vif pour lui révéler le Frisbee d'un gamin coincé dans un angle du toit, sans doute envoyé là avant même que Nora et lui n'achètent la maison.

Ce gamin était peut-être adulte à présent, songea Scott. Écrivain à New York, terrassier à San Francisco ou peintre à Paris. Mystère, mystère, mystère.

La chaleur qui s'échappait de la maison formait un courant thermique, si bien qu'il prit de la vitesse. La ville se révéla à lui comme depuis un drone ou un avion volant à basse altitude. Les lampadaires le long de Main Street et de Castle View évoquaient des rangées de perles. Scott vit le sapin de Noël allumé par Deirdre plus d'un mois auparavant, et qui resterait sur la place de la ville jusqu'au 1er février.

Il faisait froid, bien plus qu'au niveau du sol, mais ce n'était pas un problème. Scott lâcha l'édredon et le regarda tomber, se déployer en chemin, ralentir, se muer en un parachute quasi dépourvu de poids.

Tout le monde devrait connaître cela, songea-t-il, et peut-être est-ce le cas à la fin. Peut-être tout le monde s'élève-t-il au moment de mourir.

Scott souleva l'Illumination céleste et gratta la mèche du bout d'un ongle. Rien n'arriva.

Allume-toi, saleté. Mon dernier repas n'était pas génial, alors j'aimerais au moins avoir droit à un dernier vœu !

Il gratta à nouveau.

« Je ne le vois plus, dit Missy, en larmes. Il a disparu. On pourrait aussi bien...

— Attendez », fit Deirdre. Elle les avait rejoints au bas de l'allée de Scott.

« Attendre quoi ? demanda le docteur Bob.

— Attendez, c'est tout. »

Ils attendirent donc, les yeux levés vers les ténèbres.

« Je ne crois pas... commença Myra.

— Encore un peu », insista Deirdre, en songeant : allez, Scott, vas-y, tu es presque sur la ligne d'arrivée, c'est cette course-là que tu dois gagner, ce ruban-là que tu dois casser, alors pas de blague. Ne craque pas. Allez, mon grand, fais voir tes talents.

Des lumières éclatantes explosèrent au-dessus d'eux dans le ciel : rouges, jaunes, vertes. Il y eut une accalmie, puis une fureur d'or se déchaîna, une cascade miroitante, une pluie qui tombait encore et encore, comme si elle ne devait jamais cesser.

Deirdre prit la main de Missy.

Le docteur Bob prit la main de Myra.

Ils gardèrent les yeux levés jusqu'à ce que s'évanouissent les dernières étincelles dorées, jusqu'à ce que la nuit redevienne noire. Bien loin au-dessus d'eux, Scott Carey s'élevait toujours plus haut, échappant à l'étreinte mortelle de la terre, son visage souriant tourné vers les étoiles.

Stephen King au Livre de Poche

(derniers titres parus)

L'Année du loup-garou Le Livre de Poche Éditions

Chaque nuit de pleine lune, la petite bourgade de Tarkers Mills est en proie à l'horreur. Un chef-d'œuvre du maître du suspense et de l'épouvante, illustré par un des plus grands dessinateurs américains, Berni Wrightson.

22/11/63 n° 33535

Jake Epping, professeur d'anglais à Lisbon Falls, n'a pu refuser la requête d'un ami mourant : empêcher l'assassinat de John Fitzgerald Kennedy. Une fissure dans le temps va l'entraîner en 1958, à l'époque d'Elvis et de JFK, des Plymouth Fury et des Everly Brothers, d'un dégénéré solitaire nommé Lee Harvey Oswald et d'une jolie bibliothécaire qui deviendra le grand amour de Jake. Avec une extraordinaire énergie créatrice, Stephen King revisite au travers d'un suspense vertigineux l'Amérique du baby-boom, des « happy days » et du rock'n'roll.

Bazaar n° 15160

King ou l'art d'enraciner dans les petits faits les plus insignifiants de la vie quotidienne le suspense et l'épouvante. Bazaar est au cœur de Castle Rock, cette petite ville américaine où l'auteur a situé nombre de ses romans tels *Cujo*, *La Part des ténèbres* ou *Les Tommyknockers*... Une poudrière où s'accumulent et se déchaînent toute la violence et la démence que recèle l'âme de chacun. Jusqu'à l'implosion. King ou l'art de rayer une ville de la carte par la seule force de la haine. De ces haines qui vous font mourir ou tuer.

Le Bazar des mauvais rêves n° 34839

Un homme revit sans cesse sa vie (et ses erreurs), un journaliste provoque la mort de ceux dont il prépare la nécrologie, une voiture dévore les badauds... Dans ces 21 nouvelles, précédées chacune d'une introduction du maître sur les coulisses de leur écriture, Stephen King démontre une nouvelle fois sa maîtrise dans l'art du récit et le mélange des genres.

Blaze n° 31779

Colosse au cerveau ramolli par les raclées paternelles, Clay Blaisdell, dit Blaze, enchaîne les casses miteux. Son meilleur pote, George, lui, est un vrai pro, avec un plan d'enfer pour gagner des millions de dollars : kidnapper le dernier-né des Gerard, riches à crever. Le seul problème, c'est qu'avant de commettre le « crime du siècle », George s'est fait descendre. Mort. Enfin, peut-être… Ce suspense mené en quatrième vitesse, vrai roman noir, rappelle le meilleur de Jim Thompson ou de James Cain. Un inédit de King / Bachman miraculeusement retrouvé.

Carnets noirs n° 34632

En prenant sa retraite, John Rothstein a plongé dans le désespoir les millions de lecteurs des aventures de Jimmy Gold. Devenu fou de rage depuis la disparition de son héros favori, Morris Bellamy assassine le vieil écrivain pour s'emparer de sa fortune et, surtout, de ses précieux carnets de notes. Le bonheur dans le crime ? C'était compter sans les mauvais tours du destin... et la perspicacité du détective Bill Hodges.

Carrie n° 31655

Carrie White, dix-sept ans, solitaire, timide et pas vraiment jolie, vit un calvaire : elle est victime du fanatisme religieux de sa mère et des moqueries incessantes de ses camarades de classe. Sans compter ce don, cet étrange pouvoir de déplacer les objets à distance, bien qu'elle le maîtrise encore avec difficulté... Un jour, cependant, la chance paraît lui sourire. Tommy Ross, le seul garçon qui semble la comprendre et l'aimer, l'invite au bal de printemps de l'école. Une marque d'attention qu'elle n'aurait jamais espérée, et peut-être même le signe d'un renouveau ! Loin d'être la souillonne que tous fustigent, elle resplendit et se sent renaître à la vie. Mais c'est compter sans la mesquinerie des autres élèves. Cette invitation, trop belle pour être vraie, ne cache-t-elle pas un piège plus cruel encore que les autres ?

Danse macabre n° 31933

Macabres, ces rats qui filent en couinant dans les sous-sols abandonnés d'une filature. Des milliers et des milliers de rats filant en lente procession. Comment s'en débarrasser ? Une machine infernale qui semble avoir une vie propre entreprend un macabre nettoyage... et l'horreur commence. L'engin happe les humains, les plie dans ses crocs comme des draps... Aveugle, un Ver géant rampe dans une église maudite depuis des années, dans l'attente de la prophétie diabolique qui le libérera. Et si les objets prenaient un jour le pouvoir ? La face cachée du monde en cinq nouvelles diaboliques.

Docteur Sleep n° 33654

Danny Torrence, le petit garçon qui, dans *Shining*, sortait indemne de l'incendie de l'Overlook Palace, est devenu un adulte. Alcoolique et paumé comme l'était son père, il est maintenant aide-soignant dans un hospice où, grâce aux pouvoirs surnaturels qu'il n'a pas perdus, il apaise la souffrance des mourants. On le surnomme Docteur Sleep. Lorsqu'il rencontre Abra, une fillette de 12 ans pourchassée par un étrange groupe de voyageurs, Danny va retomber dans l'horreur. Commence alors une guerre épique entre le bien et le mal.

Dôme n°s 32912 et 32913

Un matin d'automne, la petite ville de Chester Mill, dans le Maine, est inexplicablement et brutalement isolée du reste du monde par un champ de force invisible. Personne ne comprend ce qu'est ce dôme transparent, d'où il vient et quand – ou si – il finira par disparaître. L'armée semble impuissante à ouvrir un passage tandis que les ressources à l'intérieur se raréfient. Jim Rennie, premier adjoint de Chester Mill, voit tout de suite le bénéfice qu'il peut tirer de la situation, lui qui a toujours rêvé de mettre la ville sous sa coupe. Un nouvel ordre social régi par la terreur s'installe et la résistance s'organise autour de Dale Barbara, vétéran d'Irak et chef cuistot fraîchement débarqué en ville...

Fin de ronde n° 35267

Dans la chambre 217 de l'hôpital Kiner Memorial, Brady Hartsfield, alias Mr Mercedes, gît dans un

état végétatif depuis sept ans, soumis aux expérimentations du docteur Babineau.
Mais derrière son rictus douloureux et son regard fixe, Brady est bien vivant. Et capable de commettre un nouveau carnage sans même quitter son lit. Sa première pensée est pour Bill Hodges, son plus vieil ennemi... Après *Mr Mercedes* et *Carnets noirs*, la série de l'inspecteur Hodges se termine avec ce dernier volet, parfait mélange de suspense et d'horreur.

Gwendy et la boîte à boutons n° 31122

Trois chemins permettent de gagner Castle View depuis la ville de Castle Rock : la Route 117, Pleasant Road et les Marches des suicidés. Comme tous les jours de cet été 1974, la jeune Gwendy Peterson a choisi les marches maintenues par des barres de fer solides qui font en zigzag l'ascension du flanc de la falaise. Lorsqu'elle arrive au sommet, un inconnu affublé d'un petit chapeau noir l'interpelle puis lui offre un drôle de cadeau : une boîte munie de deux manettes et sur laquelle sont disposés huit boutons de différentes couleurs. La vie de Gwendy va changer. Mais le veut-elle vraiment ? Et, surtout, sera-t-elle prête, le moment venu, à en payer le prix ? Tout cadeau n'a-t-il pas sa contrepartie ?

Histoire de Lisey n° 31513

Pendant vingt-cinq ans, Lisey a partagé les secrets et les angoisses de son mari. Romancier célèbre, Scott Landon était un homme extrêmement complexe et tourmenté. Il avait tenté de lui ouvrir la porte du lieu, à la fois terrifiant et salvateur, où il puisait son inspiration. À la mort de Scott, désemparée, Lisey s'immerge dans les papiers qu'il a laissés, s'enfonçant toujours plus loin dans les ténèbres... *Histoire de Lisey* est le roman le plus personnel et le plus puissant de Stephen King. Une histoire troublante, obsessionnelle, mais aussi une réflexion fascinante sur les sources de la création, la tentation de la folie et le langage secret de l'amour.

Joyland n° 34028

Les clowns vous ont toujours fait un peu peur ? L'atmosphère des fêtes foraines vous angoisse ? Alors, un petit conseil : ne vous aventurez pas sur une grande roue un soir d'orage...

Juste avant le crépuscule n° 32518

Juste avant le crépuscule... C'est l'heure trouble où les ombres se fondent dans les ténèbres, où la lumière vous fuit, où l'angoisse vous étreint... L'heure de Stephen King. Treize nouvelles jubilatoires et terrifiantes.

Mr Mercedes n° 34296

Midwest, 2009. Dans l'aube glacée, des centaines de chômeurs en quête d'un job font la queue devant un salon de l'emploi. Soudain, une Mercedes fonce sur la foule, causant huit morts et quinze blessés dans son sillage. Le chauffard, lui, a disparu dans la brume, sans laisser de traces. Délaissant le fantastique pour le polar dans lequel il se glisse avec une jubilation contagieuse, Stephen King démontre une fois de plus son talent de conteur.

Nuit noire, étoiles mortes n° 33298

1922 : un fermier du Nebraska confesse qu'il a assassiné son épouse, avec l'aide de son fils de 14 ans. *Grand chauffeur* : une femme écrivain, violée et laissée pour morte au bord d'une route, décide de se venger elle-même. *Extension claire* : un cancéreux en phase terminale passe un pacte avec un vendeur diabolique, afin d'obtenir un supplément de vie. *Bon ménage* : une femme découvre qu'elle vit depuis vingt ans avec un *serial killer*. Quatre nouvelles puissantes et dérangeantes, quatre personnages confrontés à des situations extrêmes qui vont les faire basculer du côté obscur, plus une nouvelle inédite vraiment inquiétante...

La Part des ténèbres n° 35078

Thad Beaumont et son pseudonyme George Stark n'ont fait qu'un pendant douze ans. Jusqu'au jour où l'écrivain décide d'écrire sous son vrai nom. Quand on a signé des thrillers ultra-violents, se venger de celui qui a voulu vous faire disparaître est un réel plaisir... Adapté au cinéma par George A. Romero en 1992, *La Part des ténèbres* nous plonge, sous la plume du maître inégalé de l'horreur et du suspense, dans les régions les plus reculées et les plus obscures qui soient : soi-même.

Revival n° 34406

Il a suffi de quelques jours au charismatique révérend Charles Jacobs pour ensorceler les habitants de Harlow, dans le Maine. Et plus que tout autre, le petit Jamie. Car l'homme et l'enfant ont une passion commune : l'électricité. Trente ans plus tard, Jamie va croiser à nouveau le chemin de Jacobs. Un roman sur ce qui se cache de l'autre côté du miroir. Hommage à Edgar Allan Poe, Nathaniel Hawthorne et Lovecraft, un King d'anthologie.

Salem n° 31272

Le Maine, 1970. Ben Mears revient à Salem et s'installe à Marsten House, inhabitée depuis la mort tragique de ses propriétaires, vingt-cinq ans auparavant. Mais, très vite, il doit se rendre à l'évidence :

il se passe des choses étranges dans cette petite bourgade. Un chien est immolé, un enfant disparaît, et l'horreur s'infiltre, se répand, aussi inéluctable que la nuit qui descend sur Salem. En bonus : deux nouvelles inédites sur le village de Salem et de nombreuses scènes coupées que Stephen King souhaitait faire découvrir à son public.

Shining n° 15162

Situé dans les montagnes Rocheuses, l'Overlook Palace passe pour être l'un des plus beaux lieux du monde. Confort, luxe, volupté... L'hiver, l'hôtel est fermé. Coupé du monde par le froid et la neige. Alors, seul l'habite un gardien. Celui qui a été engagé cet hiver-là s'appelle Jack Torrance : c'est un alcoolique, un écrivain raté, qui tente d'échapper au désespoir. Avec lui vivent sa femme, Wendy, et leur enfant, Danny. Danny possède le don de voir, de ressusciter les choses et les êtres que l'on croit disparus. Ce qu'il sent dans les cent dix chambres vides de l'Overlook Palace, c'est la présence du démon. Cauchemar ou réalité, le corps de cette femme assassinée ? ces bruits de fête qui dérivent dans les couloirs ? cette vie si étrange qui anime l'hôtel ? Un récit envoûtant immortalisé à l'écran par Stanley Kubrick.

Le Livre de Poche s'engage pour l'environnement en réduisant l'empreinte carbone de ses livres. Celle de cet exemplaire est de :
200 g éq. CO_2
Rendez-vous sur www.livredepoche-durable.fr

Composition réalisée par PCA

Achevé d'imprimer en mars 2019, en France sur Presse Offset par
Maury Imprimeur – 45330 Malesherbes
N° d'imprimeur : 235031
Dépôt légal 1re publication : avril 2019
LIBRAIRIE GÉNÉRALE FRANÇAISE – 21, rue du Montparnasse – 75298 Paris Cedex 06

57/1685/5